ВИКТОРИЯ ТОКАРЕВА

Сборники произведений
Виктории Токаревой
в издательстве «Азбука-Аттикус»

Виктория Токарева

Этот лучший из миров

Рассказы

Санкт-Петербург

УДК 821.161.1-3Токарева
ББК 84(2Рос-Рус)6-44-я43
    Т51

Токарева В.

Т51 Этот лучший из миров : Рассказы — СПб. : Азбука,
Азбука-Аттикус, 2016. — 256 с.

ISBN 978-5-389-08020-1

«Почти у каждого человека бывает в жизни главная любовь и несколько не главных. Неглавные — забываются. А главная — остается, но не в чувственной памяти,
а в душевной. Память души — не проходит».

В. Токарева

УДК 821.161.1-3Токарева
ББК 84(2Рос-Рус)6-44-я43

ISBN 978-5-389-08020-1

этот лучший из миров

Во все времена были оптимисты и пессимисты. Максим Горький, например, утверждал, что человек создан для счастья. А Велимир Хлебников считал, что человек создан для страданий.

То же самое было сто лет назад. Вольтер говорил, что мир ужасен, а его современник философ Лейбниц восклицал: «О! Этот лучший из миров...»

Вольтер считал Лейбница наивным человеком, но прямо об этом говорить стеснялся и высмеивал его через своего героя Кандида.

Кандид был простодушным малым. Всю жизнь он любил некую Кунигунду и всю жизнь за ней гонялся по разным странам, пока не догнал и не женился. А когда его мечта сбылась, он вдруг заподозрил, что раньше было лучше. Осуществленная мечта — уже не мечта.

Кандид заскучал, у него появилась манера уставиться в одну точку и смотреть до тех пор,

пока перед глазами не начинало плыть и дво-
иться. В эти минуты Кандид совершенно за-
бывал, кто он и где находится. Это называется: потеря времени и пространства.

Однажды он смотрел вот так, перед глазами все расползлось, и Кандид отчетливо
увидел незнакомый город, большую букву «М» и много народа, который входил под
эту букву.

Кандид пошел вместе со всеми и оказался
на бегущей вниз лестнице. Кандид догадался,
что он умер и его несет вниз, в преисподнюю.
И все, кто на лестнице, — тоже умерли, при-
общились к большинству и смиренно спу-
скаются в круги ада.

Жизнь Кандида была полна испытаний:
он богател и разорялся, был бит и высечен до
того, что у него обнажились мышцы и нервы,
его обливали дерьмом — и это еще не самое
худшее. Но Кандид все-таки любил жизнь
и, оказавшись на лестнице, испугался и побежал наверх. Лестница уходила вниз, и получалось, что Кандид перебирает ногами на одном
месте. На него не обращали внимания. Люди
строго и спокойно смотрели перед собой.

— Стойте! — закричал Кандид. — Разве вам
не жаль покидать лучший из миров?

Никто ничего не понял, потому что Кандид кричал на непонятном языке. Люди решили, что это беженец из горячей точки.
Сейчас в России много таких горячих точек
и много беженцев.

Лестница вынесла людей на твердое пространство.

Из тьмы выкатилось что-то длинное и грохочущее, похожее на железную змею, и люди устремились внутрь, в большие светлые клетки. Кандид вошел вместе со всеми. Люди спокойно уселись по обе стороны и стали читать большие шелестящие листки. Поезд пошел по тоннелю, в конце которого должен быть свет. Все должны предстать перед Создателем, и он начнет сортировать — кого в ад, кого — в рай. Но люди, похоже, ничего не ждали. Все сидели, уставившись в страницы.

— Опомнитесь! — закричал Кандид. — Приготовились ли вы к встрече с Богом?

Люди подняли головы, посмотрели на орущего парня в камзоле и ничего не сказали. Только одна старуха покачала головой.

— Это все Горбачев виноват. Развалил Россию! — закричала старуха.

Она полезла в сумку, достала яблоко и протянула Кандиду.

Изо всех ароматов мира Кандид больше всего любил яблочный аромат. Он надкусил, но ничего не понял. Яблоко ничем не пахло. Тем временем клетка остановилась, двери раскрылись и часть людей вышла из клетки. Остальные остались сидеть. Кандид не знал: оставаться ему или выходить...

Вдруг он замер. Мимо него прошла девушка — пышная и румяная, похожая на Кунигунду тех времен, когда она еще жила в замке барона Тундер-тен-Тронка.

Кандид устремился за ней и попал на лестницу, которая понесла его вверх.

— Какой это город? — спросил Кандид у девушки, похожей на Кунигунду.

— Москва, — ответила девушка. Она была учительницей французского языка и понимала речь Кандида.

— А какой век?

— Двадцатый.

«Сколько же мне лет?» — подумал Кандид. Но сообразил, что он нарушил время и пространство и продолжал быть молодым в новом времени.

Вместе со всеми Кандид вышел в незнакомый город. Дома — непривычно высокие, а улицы — непривычно широкие. Ни карет, ни повозок, ни лошадей — ничего этого не было. По дороге бежали большие железные жуки и сильно воняли. И никому не было стыдно.

— Что это такое? — спросил Кандид, показывая на дорогу.

— Это машины, — ответила учительница. — Средство передвижения.

— Не понял, — сознался Кандид.

— Можно быстро доехать туда, куда надо, — объяснила девушка.

«Вы быстро доедете до своего конца», — подумал Кандид. А вслух сказал:

— Пойдемте со мной.

— Куда?

— В восемнадцатый век. Там лучше. Там едят натуральную еду, яблоки из сада, и дышат чистым воздухом, и много ходят пешком.

Девушка подозревала, что этот парень в камзоле — пьяный актер, который не успел переодеться после спектакля. Актеры всегда пьют, пристают и интересничают.

Девушка решила не продолжать беседу и пошла через дорогу. Кандид какое-то время постоял в нерешительности, а потом устремился на красный свет, наперерез железным жукам. Один из них со скрежетом остановился перед Кандидом, оттуда выскочил сердитый человек и ударил Кандида по лицу. Кандид сделал то же самое: ударил по лицу. Он это умел и всегда испытывал готовность к драке. Человек упал.

Все кончилось тем, что собрались люди. Остановилась машина, похожая на квадратного жука, и Кандида затолкали в темный кузов с решеткой на окне. Он догадался, что это тюрьма на колесах. Там было темно и пахло мочой.

В машине еще кто-то сидел. Привыкнув к темноте, Кандид разглядел молоденькую девушку. Она была пьяная и вполне красивая. Ее открытые ноги бледно белели в темноте.

— Хочешь? — шепотом спросила проститутка. — Только быстренько, и один разочек.

Кандид не понял незнакомый язык.

— А ты отдашь мне свой пиджак, — продолжала девушка. — Это сейчас модно.

Кандид снова не понял.

Девушка подняла юбку. Кандид понял наконец и стал делать то, что она предлагала. Но не быстренько, а долго.

Машина остановилась. Милиционер открыл дверь и увидел голый зад Кандида.

Огрел резиновой палкой. Потом стал вытаскивать Кандида из машины. Девушка успела стащить с него камзол. Кандид в одних панталонах оказался на земле.

— Паспорт есть? — спросил милиционер.

Кандид не понял. Подошел второй милиционер.

— Где живешь? — спросил второй.

— Во Франции, — ответил Кандид.

— А год рождения?

— Восемнадцатый век. — Кандид показал на пальцах.

— Из психушки сбежал, — предположил первый. — Там они все Наполеоны и Бонапарты.

— Веди его в отделение, — сказал второй. — Для выяснения личности...

— Да ну его, возиться с ним, бумаги заполнять...

Первый милиционер — тот, что с дубинкой, дал Кандиду пинок под зад.

— Иди отсюда, мотай, — добавил он.

Кандид хотел вернуть милиционеру несколько пинков, но передумал. Пошел прочь от машины.

Он вышел на широкую улицу. Быстро темнело. В окнах зажглись огни, и дома походили на светящиеся каменные соты. И в них, как пчелы, сидели люди.

Хотелось есть. По улицам в молчании шли люди, никто ни с кем не здоровался.

«Как много людей, — подумал Кандид, — и никто никому не интересен». Болела скула на лице, ныл копчик. Бог возвратил его в этот лучший из миров, но люди грубы.

Вдруг он услышал волчий вой. Кандид двинулся на звук и вышел к зоопарку.

На входе его остановили и потребовали билет. У Кандида было несколько франков, но они остались в камзоле.

Кандид перемахнул через ограду. В прыжке он зацепился за острый конец, и часть его панталон осталась на ограде. А полуголый Кандид оказался в зоопарке. Он пошел мимо клеток, как дикарь.

Волк выл, будто звал. Кандид быстро нашел его и протиснулся в волчью клетку.

— Почему ты плачешь? — спросил Кандид.

— Я пою, — ответил волк. — Я влюблен.

Они говорили на разных языках, но понимали друг друга. Почему-то.

Пришел сторож и кинул в клетку кусок темного вонючего мяса.

— Ты будешь это есть? — удивился Кандид.

— Конечно. И ты будешь это есть.

— Я не буду. Пойдем отсюда. Поохотимся. Поедим свежего мяса.

— Отсюда нельзя уйти, — сказал волк. — Это зоопарк.

— Ну и что? Разве у тебя нет ног? Нет желания?

— Зоопарк — это тюрьма.

— И что же?

— Это значит, ты должен делать то, что хотят другие.

Взошла луна. Было красиво, хоть и жутко.

Волк снова завыл, вернее, запел.

Кандид с отвращением погрузил зубы в мясо.

«Этот мир ужасен, — подумал Кандид. — Вольтер прав...»

Он вдруг вспомнил атласное тело девушки в милицейской машине, добрую руку старухи в метро, взгляд молодой Кунигунды... Все перемешалось в этом лучшем из миров, в этом ужасном из миров. И вовсе не надо дожидаться смерти, все здесь — и рай, и ад...

Кандид прижался к волчьему животу. Стало тепло и безопасно. Он уснул под вой. И ему казалось: так уже было когда-то...

банкетный зал

Посол Швеции заканчивал свой срок в России и устраивал прощальный прием. Я получила приглашение и решила пойти по двум причинам:

1. Мне были приятны посол и его жена, в них просматривалась гармония богатства и любви.

2. Посольство расположено в ста метрах от моего дома. Перейти дорогу — и ты в чужой стране.

В банкетном зале собрались журналисты, писатели, ученые, политики. Приглашают, как правило, одних и тех же. Выражаясь современным языком — своя тусовка. У западных людей тусовка — чинная, немножко скучная, но все же приятная от красивых интерьеров, изысканной еды, элегантных женщин. Я заметила, что богатство имеет свою энергию. Бедность не имеет энергии, и поэтому человек в бедности быстро устает. Истощается.

Я оказалась за одним столом с политиком Икс.

Любой политик хочет стать президентом, так же как солдат хочет стать генералом. А почему бы и нет? Господин Икс — молод, умен, честолюбив, агрессивен. В нем все нацелено, напряжено и плещет в одну сторону. В политику.

— Скажите, а как вы допустили в свои ряды господина Игрек? — спрашиваю я.

Я называю имя человека, набравшего на последних выборах большинство голосов. Честно сказать, я тогда впервые усомнилась в своем народе, сделавшем такой выбор. А где народный ум? Где народная мудрость, о которой твердили народники и большевики?

— Это вы допустили Игрек, — отвечает Икс.

— Я?!

— Вы. И такие, как вы. Интеллигенция.

Я делаю круглые глаза. Вернее, я ничего не делаю, они сами становятся круглыми.

— Вы не создали нормальной оппозиции президенту, — растолковывает Икс. — А там, где нет нормальной оппозиции, там возникает Игрек.

Я раздумываю. Эта мысль никогда не приходила мне в голову. Интеллигенция действительно любила президента, но ведь «от любви беды не ждешь», как пел Окуджава.

— И все-таки Игрек не должно быть, — говорю я. — Его надо перевести на другую работу.

— На какую?

— В зависимости от того, что он умеет делать.

— Предположим, он уйдет. Но что изменится? Ведь дело не в нем... Представьте себе, что у вас потекла на кухне вода. Набралась полная мойка. А потом вода пошла через край. На пол. Понятно?

— Понятно.

— Так вот, убрать Игрек — это все равно, что вытирать воду на полу. А вода все равно прибывает. Значит, что надо делать?

— Завернуть кран, — говорю я.

— Правильно, — соглашается Икс. — Надо завернуть кран.

— А что есть кран? — спросила я.

В это время к Икс подошел единомышленник, что-то сказал на ухо. Они отошли. Мне показалось, они пошли сколачивать оппозицию президенту.

Но ведь оппозиция есть. Они орут в телевизоре. И, пользуясь выражением Юрия Карякина, у них «такие рожи». У них на рожах все написано. Чем такая оппозиция, лучше никакой.

Напротив меня сидит известный писатель. Ест. Его тарелка, вернее, содержимое тарелки, напоминает миниатюрный стог сена. Одно навалено на другое. И много. Рядом сидит посол иностранной державы. На его тарелке изящный натюрморт: веточка петрушки, звездочка морковки, в середине — листик мяса. Может, рыба. Но это отдельная тема.

— Послушай, — спросила я у Писателя. — Что есть кран?

— Какой кран?

Я пересказала разговор с Икс. Писатель выслушал.

— А зачем это тебе? — спросил он. — Пишешь и пиши. Писатель должен писать, независимо от времени, от географии и всей этой ерунды.

— Это не ерунда, — сказала я. — Это наша жизнь.

— Нельзя долго болеть. Надо или умирать, или выздоравливать.

— Ты о чем? — не поняла я.

— Обо всем этом. Об Иксах, Игреках и Зетах. Пусть делают что хотят. Надоело.

Писатель посмотрел на меня глазами свежемороженой рыбы. Они не выражали ничего.

Я поднялась и вышла в сад. Из сада был виден мой дом. Но мой дом находился в России, а здесь я была за границей. В Швеции. Это ощущалось во всем, даже в зеленой травке под ногами. Она росла не кое-как, она была густо посеяна, потом подстрижена и напоминала зеленый ковер.

Ко мне приблизился Журналист с бокалом. Он работает по совместительству светским львом. Куда бы я ни пришла, везде он с бокалом и шейным платком вместо галстука.

— Хочешь, я сознаюсь тебе в одной тайне?

Я ждала.

— Ненавижу журналистов и жидов, — открыл он свою тайну.

— Но, по-моему, ты и первое, и второе, — удивилась я.

— Ничего подобного. Я крещеный.

— А что это меняет?

— Национальность — это язык, культура и воспитание. Мой язык и моя культура — русские. Значит, я русский человек. А химический состав крови у всех одинаковый.

Он был возбужден. От него пахло третьим днем запоя.

Я подумала: иудейский Вседержитель строг до аскетизма, ничего лишнего не позволяет. А православие разрешает грешить и каяться. Журналист активно грешит и кается в своих статьях. Он пишет о себе: я плохой, очень плохой, отвратительный. Но за этим просматривается: я хороший, я очень хороший. Я просто замечательный…

Я приготовилась спросить у него: что есть кран, и даже начала пересказывать свою беседу с Икс. Но в это время в конце зала появилась официантка с подносом. На подносе, играя всеми цветами, стояли напитки: золотистое виски, рубиновое куантро, чистая голубоватая водка. Журналист устремил свой взгляд на все это великолепие и пошел по направлению взгляда. Остальные темы его волновали много меньше.

Подошел известный Скульптор. Он был высокий, что немаловажно.

Так приятно разговаривать с мужчиной, глядя снизу вверх. Так надоело разговаривать на равных. Я — антифеминистка.

Скульптор стал рассказывать, что собирается создать памятник крупному полководцу.

— А какой он был? — спросила я.

— А вы не знаете?

— Знаю. Но мне интересно ваше видение.

— Русский мужик.

— А еще? — спросила я.

— А что может быть еще? — удивился Скульптор.

— Понятно… — сказала я.

— Что вам понятно? — Скульптор напрягся, как зонтик.

Подошла официантка, предложила спиртное. Я выпила кампари, после чего мир стал прекрасен и располагал к откровенности.

— Что вам понятно? — переспросил Скульптор.

— То, что вы трехнуты на русской идее.

Трехнуты — значит сдвинуты и ушиблены одновременно.

— А вы на чем трехнуты? — настороженно поинтересовался Скульптор.

— На качестве труда, — сказала я и простодушно поглядела на Скульптора снизу вверх. Он был хоть и трехнутый, но красивый.

Скульптор почему-то обиделся и отошел.

Прием подходил к концу. Гости прощались с послом и его женой. Она выслушивала теплые слова и широко улыбалась. А посол не улыбался широко. Чуть-чуть… У него характер такой. Народу было много, человек сто. И каждому досталось от ее широкой улыбки и от его чуть-чуть.

Я подошла к Режиссеру.

— Ты на машине? — спросил он.

— Нет. Я рядом живу.

Мы вышли из посольства. Перед домом на площадке стояли длинные черные машины. По громкоговорителю объявляли: «Послу Голландии — машину!» И одна из длинных машин, как корабль, плавно причаливала к самому подъезду.

— А ты пешком идешь... — сказала я Режиссеру.

Я знала Режиссера давно. Он руководил студенческим театром, был худой и влюбчивый. Теперь у него свой театр. Он не худой и влюбчивый. Что-то изменилось, что-то осталось по-прежнему. Он по-прежнему много и хорошо работает. У него по-прежнему нет денег. Только слава.

— Это верно, — подтвердил Режиссер. — Пешком иду.

— А ты бы хотел машину с шофером?

Я имела в виду положение, дающее машину с шофером и громкоговорителем.

— А зачем? — искренне удивился Режиссер. — Пройтись пешком, на ходу придумать сцену. Потом поставить. Разве это не самое интересное?

Что есть кран? У каждого свой. У Режиссера — театр. У господина Икс — власть. У Журналиста — водка. У Скульптора — идея. У Писателя — никакой идеи. Его накрыло одеялом равнодушия.

А дальше приходит вечность и перекрывает главный кран.

Мы прощаемся. Я иду к дому. Перед домом разрыли траншею, оттуда идет пар. Чинят трубу с горячей водой. Хорошо бы зарыли обратно...

Это было год назад. Траншею зарыли. По ней много воды утекло. Сейчас — другая жизнь. Другие проблемы. И посол другой. Я его не знаю.

розовые розы

Она была маленького роста. Карманная женщина. Маленькая, худенькая и довольно страшненькая. Но красота — дело относительное. В ее подвижном личике было столько ума, искренности, непреходящего детства, что это мирило с неправильными чертами. Да и что такое правильные? Кто мерил? Кто устанавливал?

Ее всю жизнь звали Лилек. В детстве и отрочестве быть Лильком нормально. Но вот уже зрелость и перезрелость, и пора документы на пенсию собирать, — а она все Лилек. Так сложилось. Маленькая собачка до старости щенок.

Лильку казалось, что она никогда не постареет. Все постареют, а она нет. Но… Отдельного закона природа не придумала. У природы нет исключений из правила. Как у всех, так и у нее. Постарела Лилек, как все люди, к пятидесяти пяти годам. Она не стала толстой, и морщины не особенно бороздили лицо, однако возраст все равно проступал.

Человек живет по заданной программе: столько лет на молодость, столько на зрелость, столько на старость. В определенный срок включаются часы смерти. Природа изымает данный экземпляр и запускает новый. Вот и все.

Пятьдесят пять лет — это юность старости. Лилек — юная старуха. Ее день рождения приходился на двадцатое ноября. Скорпион на излете. Но он и на излете — скорпион. Лилек всю жизнь была очень гордой. Могла сделать себе назло, только бы не унизиться. Но сделать себе назло — это и есть скорпион.

Двадцатого ноября, в свой день рождения, Лилек проснулась, как всегда, в девять утра и, едва раскрыв глаза, включила телевизор. В девять часов показывали новости. Надо было узнать: кого сняли, кого назначили, кого убили и какой нынче курс доллара. Все менялось каждый день. Каждый день снимали и убивали и показывали лужу крови рядом с трупом. Средний возраст убитых — тридцать пять лет. Причина всегда одна — деньги. Было совершенно непонятно, как можно из-за денег терять жизнь. Разве жизнь меньше денег?

Лилек догадывалась, что деньги — это не только бумажки, это азарт, цель. А цель иногда бывает дороже жизни. Но все равно глупо. Цель можно изменить, а жизнь — не повторишь.

Лилек смотрела телевизор. Муж шуршал за стеной. Он сам готовил себе завтрак, ел и уходил на работу.

Муж был юрист, и в последние десять лет его специальность оказалась востребованной. А двадцать пять советских лет, четверть века, он просидел в юридической консультации на зарплате в сто двадцать рублей и почти выродился как личность и как мужчина. Лилек привыкла его не замечать.

Сейчас она бы его заметила, но уже он не хотел ее замечать. Отвык. Можно жить и без любви, но иногда накатывала такая тоска — тяжелая, как волна из невыплаканных слез, и казалось: лучше не жить. Но Лилек — не сумасшедшая. Это только сумасшедшие или фанатики вроде курдов сжигают себя, облив бензином. Фанатизм и бескультурье рядом. Чем культурнее нация, тем выше цена человеческой жизни.

Лилек — вполне культурный человек. Врач в престижной клинике. Но престижность не отражалась на зарплате. Платили мало, даже стыдно сказать сколько. На еду хватало, все остальное — мимо. Где-то она слышала выражение: «Пролетела, как фанера над Парижем». Почему фанера и почему над Парижем? Куда она летела? Но тем не менее ее жизнь пролетела, как фанера над Парижем. Никакого здоровья, никакой любви. Только работа и книги. Тоже немало, между прочим. У других и этого нет.

Из классики больше всего любила Чехова — его творчество и его жизнь, но женщины Чехова Лильку не нравились: Лика глупая, Книппер умная, но неприятная. Возможно, она ревновала. Лильку казалось, что она больше бы подошла Антону Чехову. С ней он бы не умер. Ах, какой бы женой была Лилек... Но они не совпали во времени. Чехов умер в 1904 году, а Лилек родилась в сорок четвертом. Сорок лет их разделяло плюс двадцать на взрастание, итого шестьдесят лет. Это много или мало?

Муж ушел на работу. Не поздравил, забыл. Ну и пусть. Она и сама забыла. Да и что за радость — 55 лет — пенсионный возраст.

Лилек пока еще работает, но молодые подпирают. Среди молодых есть талантливые, продвинутые. Но их мало. Единицы.

Российская медицина существует на уровне отдельных имен. Западная медицина — на уровне клиник. У нас — рулетка: то ли повезет, то ли нет. У них гарантия. В этом разница.

Сегодня у Лилька отгул после дежурства. Отгул и день рождения. Можно никуда не торопиться, послушать, как время шелестит секундами.

Посмотрела «Новости», утренний выпуск. Потом кино — мексиканский сериал. Действие двигалось медленно — практически не двигалось, поскольку авторам надо было растянуть бодягу на двести серий.

Серия подходила к концу, когда раздался звонок в дверь. «Кто бы это?» — подумала Лилек и пошла открывать — как была, в ночной рубашке. В конце концов, рубашка длинная, скромная. В конце концов — она дома.

Лилек открыла дверь и увидела на уровне глаз розовые розы, большой роскошный букет сильных и красивых цветов. Тугие бутоны на длинных толстых стеблях — должно быть, болгарские. Такие у нас не растут. За букетом стоял невысокий блондин с плитами молодого румянца на щеках. Лицо простодушное, дураковатое, как у скомороха.

— Это вам, — сказал скоморох и протянул букет.

— А вы кто? — не поняла Лилек.

У нее мелькнула мысль, что цветы от благодарного пациента... Но откуда пациенту известен адрес и повод: день рождения. К тому же пациенты — как их называют, «контингент», партийная элита на пенсии — народ не сентиментальный и цветов не дарят.

— Я посыльный из магазина, — объяснил скоморох.

— А от кого?

— В букете должна быть визитка.

Лилек осмотрела цветы, никакой визитки не было. От букета исходил непередаваемый розовый аромат. Запах богов. Так пахнет счастье.

— Нет ничего, — поделилась Лилек. — Вы, наверное, перепутали...

Скоморох достал одной рукой маленький блокнот, прочитал фамилию и адрес. Все совпадало.

Лильку ничего не оставалось как принять букет.

— А от кого? — переспросила она.

— Значит, сюрприз, — ответил посыльный и улыбнулся.

Улыбка у него была хорошая, рубашка голубая и свежая, и весь он был ясный, незамысловатый, молодой, как утро.

— Проходите, — пригласила Лилек.

Парень ступил в прихожую. Лилек прошла на кухню, освободила руки от цветов. Стала искать кошелек, чтобы поблагодарить посыльного. Но кошелька не оказалось на положенном месте. Она пошарила по карманам и нашла пристойную купюру: не много и не мало.

Посыльный ждал, озираясь по сторонам. Должно быть, смущался.

Получив чаевые, он попрощался и ушел. А Лилек вернулась к цветам. Стала обрабатывать стебли, чтобы цветы дольше стояли. Налила воду, бросила туда таблетку аспирина. Совместила банку, воду и розы.

Боже мой… Вот так среди осенней хляби и предчувствия зимы — маленький салют, букет роз. Но кто? Кто выбирал этот цвет? Кто платил такие деньги? И кому это вообще пришло в голову? Кто оказался способен на такой жест?

Контингент — не в счет. Бывшие политики, как стареющие звезды, никак не могут поверить в то, что они — бывшие. И все розы — им.

Кто еще? Антон Павлович Чехов? Но он умер в 1904 году.

Может быть, Женька Чижик? Первая любовь, которая не ржавеет…

Все-таки ржавеет. Более того, ничто так не ржавеет, как первая любовь.

Лилек и Женька вместе учились в медицинском. Но Лилек — терапевт, а Женька — ухо, горло, нос. Он был красивый и сексуально активный. Его звали: «в ухо, в горло, в нос»…

Они сошлись на почве активности и духовности. Лилек была влюблена в Чехова, а Женька в Достоевского. Он все-все-все знал про Достоевского: что он ел, чем болел, почему любил Аполлинарию Суслову, а женился на скромной Анне… Потому что одних любят, а на других женятся.

На Лильке он женился по этому же принципу. Любил высокую, независимую Лидку Братееву, которая переспала с половиной студенческого и профессорского состава. А может, и со всеми. При этом инициатива принадлежала Лидке. Она приходила и брала. Те, кто послабей, — убегали и прятались. Но Лидка находила и выволакивала на свет. Такой был характер. Она жила по принципу: бей сороку, бей ворону, руку набьешь — сокола убьешь.

Так и вышло. Ей достался вполне сокол, она вышла за него замуж и на какое-то время притихла. Но потом принялась за старое. Распущенность, возведенная в привычку, — это ее стиль. Ей нравился риск, состояние полета. А за кем летать — за вороном или соколом — какая разница.

Женька женился назло, и долгое время путал их имена. Лиля и Лида — рядом.

Лилек ненавидела Лидку — в принципе и в мелочах. Ей был ненавистен принцип ее жизни, нарушение восьми заповедей из десяти. И ненавистно лицо: лоб в два пальца, как у обезьяны гиббон, и манера хохотать — победная и непристойная. Как будто Лидка громко пукнула, огляделась по сторонам и расхохоталась.

Но основная причина ненависти — Женька. Он без конца говорил о ней, кляня. Он был несвободен от нее, как Достоевский от Аполлинарии Сусловой. И оба спасались женами. Женька погружался в Лилька, зажмуривался и представлял себе ТУ. Мстил Лидке. Лилек была инструментом мести.

Но время работало на Лилька. Та плохая, а Лилек хорошая и рядом.

Они вместе учились, вместе ели и спали, вместе ездили на юг, — тогда еще у России был юг. И все бы ничего, но... Женькина мамаша.

Мамаша считала брак сына мезальянсом. Женька — почти красавец, умница, из хорошей семьи. Лилек — провинциалка, почти уродка. Мамаша просто кипела от такой жизненной несправедливости и была похожа на кипящий чайник, — страшно подойти.

Жили у Женьки. Лилек привезла с собой кошку, тоже не из красавиц. У кошки, видимо, была родовая травма, рот съехал набок, как у инсультников. Она криво мяукала и криво ела.

И вот эта пара страшненьких — девушка и кошка — обожали друг друга нечеловеческой любовью, а может, как раз человеческой — идеальной и бескорыстной. Иногда у Лилька случался радикулит, кошка разбегалась и вскакивала ей на поясницу, обнимала лапами. Повисала. Грела поясницу своим теплым животом. И проходило. От живого существа шли мощные токи любви — получалась своеобразная физиотерапия.

Лилек волновалась, что кошка выпадет из окна, — мамаша постоянно раскрывала окно настежь. Лилек навесила специальный крючок, который ограничивал щель до десяти сантиметров. Воздуха хватало, и никакого риска. Кошка скучала по воле. Она вскакивала на подоконник, втискивала в щель свой бок с откинутой лапой и так гуляла. Однажды в ее лапу залетела птица. Так что можно сказать, кошка охотилась, а значит, жила полноценной жизнью. Лилек не охотилась, но тоже жила вполне полноценно.

Она любила своего Женьку, ей нравилось быть с ним наедине и на людях. Она им гордилась и любила показывать окружающим. Почти в каждых глазах она читала легкое удивление: Лилек — недомерок, а Женя — америкэн бой... Многие молодые женщины кокетничали с ним на глазах у Лилька, так как Женька казался легкой добычей. Каждая думала: если он польстился на такую каракатицу, то уж за мной побежит, писая от счастья горячим кипятком. Но это было большое заблуждение. Единственный человек, за которым он бежал бы, — Лидка Братеева.

Однажды Лилек и Женька отправились в театр и встретили там Братееву со своим соколом. Поздоровались. Лидка оглядела принаряженного Лилька, усмехнулась. В ее ухмылке было много граней, и все эти грани процарапали Женькино сердце.

Женька весь спектакль просидел бледный и подавленный. Молчал всю дорогу домой. А Лильку и вовсе тошнило. Она была беременной на третьем месяце.

Беременность протекала тяжело, токсикоз, мутило от запахов. Ей казалось, что от Женьки пахнет моченым горохом. Она постоянно отворачивалась, чтобы не попасть в струю его дыхания. В этот же период поднялась неприязнь к Достоевскому — эпилептик, больной и нервный. Волосы вечно гладкие, блестящие, будто намазаны подсолнечным маслом. Непонятно, что в нем нашла Аполлинария Суслова...

Чехов — совсем другое дело. Чехов — как Иисус — учил, терпел, был распят туберкулезом, его не понимали современники, критика упрекала за «мелкотемье». Но Иисус Христос никогда не улыбался, мрачный был парень. А Антон Чехов — шутил, и его юмор был тонкий, мягкий, еле слышный, погруженный глубоко, но слышный для посвященных. Для тех, кто с ним на одной волне.

Неприятие Достоевского явилось началом неприятия Женьки.

Женькина мамаша не советовала рожать, приводила убедительные аргументы. Лилек послушалась и сделала аборт, хотя все сроки прошли.

Почему Лилек послушалась? Где была ее голова? В молодости не хватает опыта, требуется совет старших. Совет был дан неправильный.

Вопрос: а где были родители Лилька? В другом городе, маленьком и провинциальном. Лильку казалось тогда, что ее родители тоже маленькие и провинциальные. Ничего не понимают.

И еще одна причина — гордость — знак скорпиона. Чтобы не унизиться, готова укусить сама себя. Так оно и вышло. Лилек ужалила сама себя. Ребенок мог бы развернуть всю ситуацию на 180 градусов. Женькина мамаша непременно бы влюбилась во внука или внучку и из чайника ненависти превратилась бы в чайник любви. Этот новый человек всех бы объединил, включая кошку. И настала бы всеобщая гармония, когда все нужны всем. А так — никто не нужен никому.

Женька стал реагировать на кокетство чужих женщин. У него стали формироваться левые романы в присутствии Лилька.

Лилек боролась за свое счастье как могла — купила шляпку. Лильку шли маленькие беретики, а эта шляпа только подчеркнула ее внешнюю несостоятельность.

— Ну как? — неосмотрительно спросила Лилек.

Женька ничего не сказал. Усмехнулся, как Братеева. Это было прямое предательство.

Сработал скорпион. Лилек взяла книжку, кошку и ушла. Куда? А никуда. Сначала к подруге. Потом сняла комнату. А потом...

Об этом «потом» следует поговорить подробнее.

Потом Лилек обратилась к юристу и отсудила у Женьки с мамашей площадь. Им пришлось разменивать свою квартиру на меньшую плюс комната. Вот так. Это был ее ответ. Из жертвы Лилек превратилась в народного мстителя, и весь суд был на ее стороне. Скорпион жалил не себя, а врага. Лилек мстила за поруганную веру, надежду и любовь.

Когда женщина мстит — здравый смысл умолкает. Самое правильное, что может сделать мужчина, — это уносить ноги не раздумывая.

Женька Чижик не ожидал такого развития событий. Он считал, что все зависит от него, и даже пытался помириться. Но Лилек уже спала с юристом Леней Блохиным, в той самой комнате, которую они вместе отсудили. Лилек пошла на эту связь Женьке НАЗЛО. А Леня просто подчинился. Потом он втянулся в Лилька, как в черное кофе. Вроде невкусно, но если привыкнешь — ничем не заменишь. Малая наркомания.

Лилек взяла своего юриста — нагло, как Братеева. И оказалось, что Леня этому очень рад. Лилек сообразила, что мужчины на самом деле — слабый пол. И бывают довольны, когда женщины проявляют инициативу и сами все решают.

Леня — москвич, тоже с мамашей и прочими родственниками. Но на его территорию Лилек не ступала и с мамашей не знакомилась. Хватит с нее мамаш.

Они познакомились на свадьбе. Мамашу звали Ванда, хоть и не полька. Явно не полька.

Ванда доброжелательна и терпима — это и есть интеллигентность. Воспитать эти качества невозможно, с ними надо родиться, получить с генами.

Ванда отметила, конечно, что Лилек — не из красавиц, но это и хорошо. Спокойно. Меньше соблазна, а значит, крепче семья. А крепкая семья — это самая большая человеческая ценность.

На свадьбе Леня напился и в конце — заснул прямо за столом. Лилек везла его на стуле до кровати, а потом снимала ботинки и в этот момент любила пронзительно, до холодка под ложечкой.

Первое время они старались не разлучаться и даже спали, взявшись за руки. Так длилось долго, несколько лет. Но...

У Лилька было одно неудобное качество: желание объять необъятное. То, что шло в руки, — было уже в руках. Это уже неинтересно. Интересно, а что там... за поворотом. Хотелось заглянуть за поворот. И она заглядывала.

Лилек пошла лицом в отца. Мать говорила: не удалась. А первая свекровь произносила: «не красива́», с ударением на последнем «а». Аристократка сраная.

Лилек всю дальнейшую жизнь пыталась доказать: удалась и красива́. Она доказывала это другим и себе. Имея весьма скромные внешние данные, она существовала как красавица. Ну, пусть не красавица… Но эмоций — полноводная река. Выбор — большой: врачи, пациенты, родственники пациентов. Привилегированная среда. А если выражаться языком орнитологов — элитарные самцы.

Лилек была открыта для любви и сама влюблялась на разрыв аорты. Начинался сумасшедший дом, душа рвалась на части.

Леня тем временем жил свою жизнь: уходил на работу и возвращался с работы. Кого-то защищал, выигрывал процессы, копался в юридических кадастрах — она в этом ничего не понимала. Основные его дела — раздел имущества, и Леня не переставал удивляться человеческой низости. Люди готовы были убить друг друга из-за клочка земли. Инстинкт «мое» оказывался доминирующим.

Несколько раз Леня являлся с синяком на губе, кто-то высасывал его из семьи. Но Леня держался. Почему? Непонятно. Лилек для всех была ангел-спаситель, кроме собственного мужа.

Иногда в доме раздавались немые звонки. Звонили и молчали. Лилек догадывалась, что это претендентки на Леню. Где он их брал? Наверное, в юридической консультации. Лилек злилась, но молчала, поскольку претендентки вели себя прилично, не грубили по телефону и не приходили на дом. А потом и вовсе куда-то исчезали. Растворялись в пространстве.

Леня неизменно возвращался с работы. Совал ноги в тапки. Ужинал — как правило, это было мясо с жареной картошкой. Потом садился в кресло и просматривал газеты. Затем включал телевизор и ревниво смотрел — что творится в мире. В мире творилось такое, что интереснее любого детектива.

Детей не было, но Леня и не хотел. Он умел любить только себя, свой покой и свои привычки. А дети выжирают жизнь, хоть и являются ее смыслом. Какой-то странный смысл получается: жить ради другого. А ты сам? Разве не логичнее жить свою жизнь для себя...

Лилек хотела ребенка, готова была родить от кого угодно, но... как говорит пословица: «Бодливой корове бог рогов не дает».

Лилек во всем винила свою первую свекровь и ненавидела ее со всей яростью скорпиона. Со временем первая свекровь умерла, но Лилек ненавидела ее за гробом. Бедная старуха Чижик, должно быть, переворачивалась в гробу.

Женька Чижик, как она слышала, несколько раз женился и разводился. У него не складывалось. Видимо, его браки совершались на земле. В районных загсах. А брак Лилька и Лени — стоял и даже не качался. Значит, был заключен на небесах.

Жизнь манила и звала. Было интересно заглянуть за поворот. За поворотом, как правило, оказывалось либо чужое, не твое, либо негодное к употреблению, как поддельная водка. Чужое — значит красть. Поддельное — значит отравиться.

Лилек, случалось, крала и блевала. А потом все вставало на свои места. Чужое — на место. Порченое — забыть. Сама — в работу.

В работе Лилек избавлялась от комплекса неполноценности.

Если разобраться, то мужчины в ее жизни тоже возникали от комплекса неполноценности. Комплексы есть даже у красавиц. Людьми вообще движут комплексы. И президенты скорее всего имеют комплексы и поэтому становятся президентами. Либо их жены имеют комплексы и делают своих мужей президентами. Комплексы — это те дрожжи, которые движут миром.

Существует власть талантом, власть красотой, просто власть. Но если нет таланта, красоты и власти, то есть маленькая личная власть над одним человеком.

Именно поэтому Лилек хваталась за чужое и порченое. Она хотела иметь маленькую личную власть.

Но основная ее свобода — в работе.

Когда она погружалась в историю болезни, то начинала видеть больного изнутри, как будто сама плыла по кровеносному руслу и заплывала в жизненно важные органы. И вот тогда приходила власть над жизнью человека, и можно почувствовать себя немножко богом.

Лилек давно поняла, что человек роет себе могилу зубами. Неправильно питается.

Человек — машина. Главное — бензин и профилактика. Не надо запускать внутрь вредное горючее, иначе забиваются трубки — сосуды, и мотор выходит из строя. И еще — иммунная система. Если укрепить иммунитет, он сам справится со своими врагами. Сам победит любую инфекцию. Даже рак. Раковые клетки представлялись Лильку одинокими бомжами, которые бродят по организму в поисках жилья, стучатся во все двери. В организме существуют механизмы-замки. Здоровая клетка как бы заглядывает в дверной замок: кто пришел? Свой, чужой? Видит чужого — и не отпирает. Пошел вон. И клетка-бомж снова слоняется в поисках удачи. Но вот у человека стресс, старость, плохая еда, южное солнце — все это сажает иммунную систему. Она садится, как аккумулятор. Механизм-замок не срабатывает, и бомжик — р-раз! И проник. И впустил другого. А дальше — все, как в бандитской группировке. Основная опухоль контролирует кислород. Она питается кислородом. Чтобы победить болезнь, надо блокировать подачу кислорода. Бомжам будет нечего жрать, и опухоль скукожится, завянет.

Лилек была уверена, что лечение рака должно быть очень простым — как все гениальное. Победа близка, стоит только руку протянуть. Лилек протягивала руку к генетикам, даже к колдунам, пытаясь вычленить в их методе рациональное зерно. Очень часто рациональное кроется в иррациональном.

Лилек увлекалась очередной идеей вместе с носителем идеи. Ей начинало казаться, что это ОДНО: идея и ее носитель. А колдуны, между прочим, — тоже мужчины, и современный колдун — это не шаман с бубном и не Гришка Распутин с неряшливой бородой. Это — неординарная личность, владеющая гипнозом, философией и многими знаниями. Эту личность звали Максим.

Лилек тогда совсем сошла с резьбы. Не приходила домой ночевать, объясняя это дежурствами.

Леня пожаловался Ванде. Ванда сказала:

— Значит, она не может по-другому.

Ванда уважала Лилька, ее жизнь и даже ее поиск. Лилек, в свою очередь, чтила Ванду: только благородный человек видит благородство в другом.

На склоне лет Ванда жестоко заболела. Лилек кинулась на борьбу за ее жизнь со всей яростью скорпиона. Буквально отбила от рук смерти, жадной до всего живого. Смерть и Лилек вцепились в Ванду с двух сторон. Лилек не отдала. Смерти в конце концов это надоело, и она ушла.

Ванда объявила, что родилась дважды, и отпраздновала второй день рождения. Говорила о Лильке высокие слова. Все прослезились. Но все-таки главное — не Ванда. Ванда — сопутствующая линия. А основная линия в то время — Максим.

Максим работал в районной больнице, сочетал традиционную медицину с нетрадиционной. Он считал: люди заболевают от разлада души с телом. Человека надо настроить, как гитару. Максим подтягивал струны души. Человек начинал звучать чисто. И выздоравливал.

Теория Максима во многом совпадала с теорией Лилька. Она называлась «остановиться, оглянуться»...

Люди больших городов бегут, бегут, протянув руку за ложной целью. Что-то в них рвется, развинчивается, а они все равно бегут, пока не падают. Надо остановиться, оглянуться.

Лилек и Максим познакомились на курсах повышения квалификации. Он был страшненький, но красивый. Лилек что-то почувствовала. Они несколько раз переглянулись, почуяли друг друга, как два волка среди собак. Потом Лилек стала посылать к нему своих больных. А потом...

Почти у каждого человека бывает в жизни главная любовь и несколько не главных. Не главные — забываются. А главная — остается, но не в чувственной памяти, а в душевной. Память души — не проходит. Может быть, и у Максима не прошло. Может быть, эти розы — от него...

Есть выражение: нахлынули воспоминания... На Лилька они не нахлынули. Они всегда были в ней и звучали, как музыка из репродуктора: иногда тише, иногда громче, но всегда...

Максим — вдовец. Жена умерла рано и неожиданно, ни с того ни с сего. Оказывается, у нее была аневризма в мозгу, о которой никто не подозревал. В один прекрасный день аневризма лопнула и убила. Среди бела дня. Жена вела машину, и вдруг милиционер увидел, что машина, как пьяная, движется куда-то вбок.

Милиционер засвистел, и это было последнее, что услышала тридцатипятилетняя женщина.

Дети — маленькие, семь и одиннадцать лет. Никакой родни. Хоть бери и бросай работу. Но работу не оставить. Приходилось оставлять мальчиков. Пару раз они попали в комнату милиции, и женщина-милиционер терпеливо с ними возилась, ожидая прихода отца. Когда Максим являлся в великом смущении, мальчики не хотели уходить от тети-милиционера. Кончилось тем, что Максим стал скидывать на нее детей, и она — ее звали Зина — перебралась к ним жить.

Зина — лимитчица, приехала в Москву из Читы. Для нее выйти замуж с пропиской — большая удача. Она вышла и прописалась.

В глубине души Зина считала, что сделала Максиму большое одолжение. Он был невидный, маленького росточка, с лысиной в середине головы. Красоты никакой. А у Зины были плечистые кавалеры — сыщики и оперативники. Красавцы, но что толку… Тоже лимитчики без площади и пьющие.

Максим — без вредных привычек, культурный в обхождении. А мальчиков она просто полюбила. Как можно не полюбить маленьких детей-сирот?

Работу Зина бросила. Быт оказался налажен. У нее были вкусные руки. Даже самая простая еда типа жареной картошки выходила из-под ее рук как кулинарный шедевр. Она знала, как порезать, сколько масла, сколько времени без крышки и под крышкой. И еще она знала секрет: порезав картошку, она ее сушила в полотенце, лишала влаги, и только после этого — на раскаленную сковороду. Оказывается, на все нужен талант. Даже на картошку.

Максим возвращался в теплый, ухоженный дом. Мальчики были спокойны и счастливы.

Иногда выходили в гости, но Зине было скучно с друзьями Максима. Говорили о чем-то непонятном, женщины — в брюках, как мужики, и стриженые. У Зины — своя эстетика: волос должно быть много — коса. И грудей много, и зада. Вот тогда это женщина. Зинаиде тоже хотелось принять участие в разговоре, и она рассказывала жуткие истории, как кто-то напился до чертей и повесился в углу, а остальные не заметили и продолжали застолье. Друзья Максима замолкали и не знали, что сказать, как комментировать. Максиму было неловко. Он перестал брать Зину, да и она не стремилась. Ей было гораздо интереснее остаться дома и посмотреть мексиканский сериал.

Первое время Максим с Лильком прятались под покровом ночи, целовались в парадных, как школьники. Лильку в ту пору было за тридцать, большая девочка. Но страсть горела, как факел, загоняла в подъезды. В это время Максим купил машину, стали ездить за город. Гуляли, разговаривали.

Максим рассказал, как однажды привезли рабочего, который упал с восьмого этажа. Было понятно, что его не собрать, но Максим все-таки взялся за операцию, что называется, для очистки совести. Он подшивал на место оторвавшиеся органы, совмещал кости и был готов к тому, что больной умрет на столе. Но не умер. И вдруг через неделю. О Боже… Максим увидел, как он ковылял по коридору, опираясь на костыли. И в этот момент Максим осознал: Бог есть. Он стоит за спиной, как хирургическая сестра.

— А что такое Бог? — спросила Лилек.

— Это любовь.

— А что такое любовь?

— Это резонанс.

— Не поняла.

— Ну… Когда люди вместе молятся, они входят в резонанс и посылают в космос усиленное желание, и оно ловится космосом.

— Значит, Бог — это приемник? — уточнила Лилек.

— Это мировой разум, — поправил Максим.

— А как он выглядит?

— Разве это важно? — отозвался Максим. — В любви человек ближе всего к Богу. Когда человек любит — он в резонансе с Богом.

Лилек подняла голову, увидела верхушки берез. Они качали ветками, как будто тоже входили в резонанс друг с другом и с ней, Лильком. «Я никогда это не забуду», — подумала Лилек. И в самом деле не забыла: ажурные зеленые ветки, плывущие под ветром, на фоне синего, как кобальт, неба.

Лилек и Максим практически не расставались, вместе ездили в отпуск и ходили в гости. Лилек совершенно не походила на любовницу — маленькая, неяркая, ее никто за лю-

бовницу и не принимал. Лилек смотрелась
как жена, как соратница, как его ЧАСТЬ. Их
уже невозможно было представить отдельно
друг от друга.

Юрист Леня существовал где-то за чертой.
Его как бы не было, хотя он был.

Лилек стала подумывать о разводе и о новом браке. Хотелось быть вместе всегда, всегда, всегда…

Однажды Максим позвонил и отменил
свидание. Он заболел, у него двухстороннее
воспаление легких.

Лилек терпела разлуку два дня, а потом
не выдержала, взяла с работы белый халат
и шапочку и явилась к Максиму на квартиру.
Вроде как врач из поликлиники.

Ей открыла Зина. Лилек ступила в сердце
семьи.

Квартира была блочная, типовая, с поли-
рованной мебелью на тонких ножках. Висел
запах тушеного мяса. Клубились двое мальчи-
шек. Младший был похож на принца Чарльза.
Лилек вдруг поняла, что Максим тоже похож
на принца Чарльза, только меньше ростом
и лысый.

Зина — большая, уютная. Две больших
груди и большой живот походили на три за-
саленные подушки. От нее пахло тушеным
луком. Она не хотела нравиться и не хотела
казаться лучше чем есть. И именно поэтому
нравилась.

Зина провела Лилька к больному. Максим
засветился лицом и глазами. Зина ничего не
заметила, потому что в эту секунду в комнату

влетели мальчишки. Один выдирал у другого что-то изо рта.

— Он схватил мою жвачку! — вопил принц Чарльз.

Зина быстро щелкнула им подзатыльники, мальчишки выкатились, шум переместился за стенку. Зина поторопилась к ним, чтобы разобраться и восстановить справедливость. Чувствовалось, что она здесь главная и все держится на ней. Максим — только материально несущая балка.

Лилек молча раскрыла свой чемоданчик, достала горчичники, растирки. Стала, как медсестра, растирать ему спину, чтобы не было застоя. Потом укутала в пуховый платок, который тоже принесла с собой. Укрыла одеялом под горло. И села рядом.

Надо было о чем-то говорить. Максим стал пересказывать интересное исследование о раке, которое он недавно прочел в американском журнале. Статья американского профессора по имени Иуда Форман.

Тема была интересна Лильку, но она слушала невнимательно. Думала о другом. О чем? О том, что она протянула руку к чужому. Воровка. На кого замахнулась? На детей? На Зину, которая батрачит с утра до вечера... Лилек хотела только Максима. Ей казалось: изъять Максима, а все остальное пусть останется по-прежнему. В том-то и дело, что по-прежнему ничего не останется. Все рухнет, потому что они с двух сторон — Максим и Зина — равноценно поддерживают эту конструкцию: семья.

— О чем ты думаешь? — заметил Максим.

— О том, что профессора зовут Иуда, — сказала Лилек. — Я думала, что этим именем никто не пользуется. Оно настолько скомпрометировано...

Заглянула Зина и пригласила Лилька поесть. Максим настаивал. Пришлось согласиться.

И вот они втроем сидят на кухне и едят бефстроганов. Блюдо приготовлено классически, в сметане. Боже, как давно Лилек не ела бефстроганов. Все больше сосиски.

Зина рассказывала жуткую историю о том, как в их районе бандиты приковали к батарее беременную женщину, а сами стали искать ценности и валюту. А потом сообразили, что не туда пришли. Перепутали квартиру.

— И дальше что? — спросила Лилек.

— Ничего. Ушли, — ответила Зина.

История имела счастливый конец. Наручники отстегнули и ушли.

Хеппи-энд. Вкусная еда. Прочность бытия. Так сложилось у Зины и Максима. Хорошо ли, плохо ли, но сложилось и летит, как самодельный летательный аппарат.

Лилек поблагодарила и стала прощаться.

— Заходите, — попросила Зина. — Просто так. В гости.

Она ничего не заподозрила, чистая душа.

Начались страдания. Их любовь стала походить на те самые клетки, которые пожирают кислород из организма. Все это вело к полному краху. И Лилек решила не ждать. Порвать без объяснений. Как будто нырнула на большую глубину. Задыхалась. Всплывала на мгновение — и опять на глубину.

Максим понял. Согласился. Потянулись мучительные дни без него. Потом дни переросли в месяц и в год.

Больше ничего значительного в жизни Лилька так и не случилось. Кроме самой жизни. Постепенно она привыкла к тому, что ничего не происходит. Меняются только больные и времена года. А все остальное остается по-прежнему, и это очень хорошо. Ей нравилось просыпаться и встречать день утром. И провожать его вечером. Она научилась делать бефстроганов по правилам, в сметане. Сверху посыпала травкой, мелко рубила.

Леня приходил с работы, молча ел. Потом садился, читал газету.

Лилек иногда задумывалась: чем жить дальше? Как разнообразить свое существование? Она знала как врач, что старость — это болезнь. Старость надо преодолевать. На это уйдет время. Новая цель — продление жизни. Это ложная цель. Но если разобраться — все цели ложные: любовь, которая все равно кончается. Успех, который не что иное, как самоутверждение.

Лилек решила сделать в квартире ремонт. Друзья порекомендовали армянскую бригаду. Пришли три брата-армянина, в джинсах, худые и смуглые. Не особенно молодые, старшему — пятьдесят, но все-таки молодые, с сединой в густых волосах.

Лилек расцвела, руководила, командовала. Армяне охотно подчинялись, склонив головы, притушив южный блеск глаз. Блеск оказался не столько южный, сколько алчный. Они приехали заработать деньги «на семю» — так они произносили слово «семья». А страшненькая русская интересовала их только как источник дохода. Они быстро поняли, что ее можно раскрутить — то есть взять в два раза больше.

Армяне обманывали Лилька налево и направо. Младший по имени Ашот постоянно что-нибудь выпрашивал: то раскладушку, то одеяло.

Лилек любила быть сильной и благородной. Она все отдавала и любовалась собой.

Ашот рассказывал, что живет в маленьком городе. Единственный культурный центр — базар. Армяне там собираются и проводят время. Работы нет. Страна разрушена. Взрослые мужчины разбрелись кто куда, лишь бы найти работу. Живут бесправно, как рабы. Милиция их отлавливает и штрафует, по сути, грабит. Дома у него жена и трое детей. Жену зовут Изольда. Армяне любят давать экзотические имена. С женой они спят в разных комнатах — так решила жена, потому что он постоянно к ней пристает. Изольда не может заниматься любовью так часто и так много, как он этого хочет. Она слишком устает днем и должна отдохнуть ночью. Но Ашот — натура любвеобильная, его ничего больше в жизни не интересует. Он каждую ночь пытается проникнуть к Изольде, но она ставит в дверях кого-то из детей, чтобы задержать Ашота. Дети дежурят каждую ночь по очереди.

— Ты любишь жену или ты любишь любовь? — спросила Лилек.

— А какая разница? — не понял Ашот.

Он был прост, как молоток, которым забивал гвозди. И Лильку на какое-то время показалось: он прав. Вся эта культура, которую придумало человечество, — надстройка. А базис — сам человек, его биология и инстинкты. Инстинкты вложены в программу и составляют саму жизнь.

Инстинкт продолжения рода — любовь, инстинкт сохранения потомства — чадолюбие. Инстинкт самосохранения — страх смерти. И все, в сущности. А люди выдумывают всякие кружева: культура, архитектура, литература, Чехов, Достоевский, Иуда Форман.

Ашот нравился Лильку за молодость и неравнодушие. Он был на десять лет моложе, но как бы не замечал разницы или притворялся.

Мужчины Лилька — филолог, юрист, хирург — интеллигенция. Но они были в те времена, когда у Лилька была полная колода козырей: молодость, энергия, жизненная жажда. В сущности, полной колоды не было никогда — так, один-два козыря. Но сегодня нет ни одного. Значит, надо понизить критерий. Пусть будет молодой, серый, любвеобильный Ашот.

Он улыбался лучезарно, его светло-карие глаза лучились, и белые зубы тоже лучились.

Лилек не сомневалась, что он влюблен. Она была самоуверенна на свой счет.

Все кончилось очень быстро. Армяне ее обокрали и смылись. Они были даже не особенно виноваты. Лилек никогда не прятала деньги. Кошелек с деньгами всегда лежал в прихожей под зеркалом. И не захочешь, да прихватишь.

Лилек предполагала, что украл средний брат — самый красивый и подлый. Подлость заключалась в том, что он выдавал себя за другого. Был мелкий жулик, а изображал из себя Гамлета.

Украсть мог и старший брат, рукастый и пьющий. Он единственный из троих умел работать.

Лилек не успела понизить критерий, слава богу. Какой это был бы ужас... Она поняла: культура держит человека на поверхности, не дает ему опуститься до воровства. Если бы братья-армяне читали книги, слушали музыку и ходили в театр, то прошли бы мимо чужого кошелька.

Лилек была рада, что Ашот оказался таким ничтожеством, от слова «ничто». Она с легкостью помахала рукой станции по имени «Любовь» и поехала к следующей станции по имени «Старость». Без сожаления, не оборачиваясь.

Она понимала — ничего нельзя повторить. На место Максима могут прийти только Ашоты. Лучше пусть не приходит никто.

По теории относительности время во второй половине жизни течет быстрее. И это правда. Только что было 45, уже 55. Только что было лето, уже зима. А осень где? Проскочила.

Лилек углубилась в свою работу. Потребность в интеллектуальной деятельности была для нее такой же сильной, как потребность в еде. И даже больше. Или на равных. Вернее, так: когда хочешь есть, думаешь только о еде. Но когда сыт — первая потребность в интеллектуальной деятельности.

Розы пришли из ТОЙ жизни, как воспоминание о мазурке, — есть такое музыкальное произведение.

Но все-таки кто же их прислал? Женька? Простил и прислал. С возрастом многое прощаешь.

«Что пройдет, то будет мило...» И может быть, ему сейчас милы воспоминания их одухотворенной жизни, Чехов — Достоевский, походы в театры, на поэтические вечера. А развод-размен — это всего-навсего гроза. Гроза — это тоже красиво, тем более что она проходит.

Лилек порылась в ящике и нашла старую записную книжку тридцатилетней давности. Там был телефон Женьки от новой квартиры, куда он переехал после размена. Откуда телефон? Лилек что-то у него отбирала, кажется, книги, и преследовала звонками до тех пор, пока он не отдал. Ему было легче отдать, чем противостоять. Лильку эти книги были не нужны, просто ею правило НАЗЛО. Чем хуже, тем лучше.

Лилек набрала номер. Трубку сняла БРА-
ТЕЕВА. Этот голос она узнала бы через тысячу лет из тысячи голосов.

— Да-а-а, — пропела Братеева с длинным
сексуальным «а».

«Старая кошелка, — подумала Лилек. —
Под шестьдесят, а туда же…»

— Позови Женю, — жестко приказала Лилек.

Ненависть была свежа, как будто вчера
расстались. Братеева тут же ее узнала и почувствовала.

— А зачем? — спросила она.

С ее точки зрения, Лилек не была нужна
Женьке и в двадцать лет, а уж теперь и по-
давно.

— Это я ему скажу…

Братеева громко позвала:

— Женя! Тебя твоя жена за номером один…

Значит, были номер два и три. Но в результате они воссоединились. Женя и Лида.
Лида бросила сокола, или всю стаю, и пришла к Женьке. Значит, это ЛЮБОВЬ — та
самая, прошедшая через испытания…

— Я слушаю, — настороженно отозвался
Женька. Он, наверное, решил, что Лилек хочет еще что-то у него отобрать.

— Мне цветы прислали, — деловито произнесла Лилек. — Розовые розы.

Она замолчала.

— И что? — не понял Женька.

— Это не ты прислал? — прямо спросила
Лилек.

— Я?? Тебе??

Чувствовалось, что Женька очень удивился. Он относился к человечеству по Достоевскому, то есть не верил ни во что хорошее.

— Ну ладно, пока, — попрощалась Лилек.

Она положила трубку и почему-то не огорчилась. Если Женька счастлив со своей Аполлинарией Сусловой — то пусть. Чем больше счастливых людей, тем благополучнее страна. А стране так не хватает благополучия...

Откуда в Лильке это смирение? А где же скорпион? Значит, и скорпион тоже постарел и перестал быть таким ядовитым.

Откуда же розы? Не Ашот же прислал их на краденые деньги. Он украл на «семью», а не на посторонних женщин, тем более немолодых и некрасивых.

Значит, Максим...

Лилек набрала воздух, как перед погружением на глубину. И позвонила. Этот телефон она помнила наизусть. Эти семь цифр — шифр от главного сейфа, в котором лежала ее любовь.

Трубку взяла Зина. Это был ее голос. Значит, ничего не изменилось. Время плыло над их головами не задевая.

— Здравствуйте, — вежливо поздоровалась Лилек. — А можно Максима?

— Его нет, — ответила Зина.

— Нет дома или нет в Москве? — уточнила Лилек.

— Нет нигде.

— Он умер? — оторопела Лилек.

— Он женился, — просто сказала Зина.

Лилек молчала. Зина ждала. Потом крикнула:

— Але! — проверила, не сломался ли телефон.

— Давно? — спросила Лилек из пустоты.

— В 85-м году. А это кто?

— Да так. Никто.

Лилек снова замолчала. Значит, она не посмела. А кто-то посмел. И получилось. Лилек тогда кинула себя в жертву. Ушла. Освободила место в его душе. А свято место пусто не бывает.

Женщины могут жить прошлым, а мужчины устроены по-другому. Им надо сегодня и сейчас.

— А дети? — спросила Лилек.

— Старший в Америке. А младший со мной.

Значит, Зина не одинока. И Максим не одинок. Все как-то устроились и живут.

А что бы она хотела? Чтобы все страдали по ней, такой неповторимой, рвали на себе волосы, заламывали руки...

Да, хотела бы...

Лилек молчала. Зина терпеливо ждала.

— А вы чего хотите? — проверила Зина.

«Чтобы меня любили», — это был бы правильный ответ. Но Лилек сказала:

— Мне сегодня розы прислали. С посыльным. А визитки нет. Я всех знакомых обзваниваю на всякий случай...

— Меняйте замок, — энергично отозвалась Зина. — Это наводчик приходил. Сейчас у воров новая фенька: они сначала наводчика посылают, с цветами. Тот все обсматривает, а на другой день приходят и чистят. Хорошо, если по голове не дадут…

Лилек вспомнила, что Зина любила жуткие истории, и чем жутчее, тем интереснее. Но нехорошее чувство шевельнулось в груди. Она действительно потеряла кошелек, может, вытащили или забыла в магазине. Она вообще все забывает: вещи, имена людей. В кошельке денег было мало, ерунда какая-то, но лежал ключ и квитанция из прачечной. На квитанции адрес. Если есть ключ и адрес, почему бы наводчику не прийти и не посмотреть, что и как.

— А откуда вы это знаете? — уточнила Лилек.

— Так я ж в милиции работаю, у нас в месяц по девять краж.

Значит, Зина вернулась на работу.

— Ну ладно, — проговорила Лилек. — До свидания…

Зина не хотела ее отпускать так быстро и кинулась торопливо рассказывать, что появился новый вид ограбления: в машине. Один жулик вежливо спрашивает, как проехать. И пока ему объясняют, другой в это время тырит сумку. Тот, кто спрашивает, — одет прилично и красивый. Они специально держат для этой цели культурных, в голову не придет, что вор. Внешность — отвлекающий маневр.

Лилек положила трубку. Все!

Тот парень с плитами румянца — наводчик. Лилек вспомнила, как он шил глазами.

И стало так противно, так беспросветно и оскорбительно, как будто в душу наплевали.

Измена и обман! Вот на чем стоит жизнь. Достоевский прав. Чехов говорил, что люди через сто лет будут жить лучше и чище. Прошло сто лет. И что? Хорошо, что Чехов умер в 1904 году и не видел ничего, что стало потом.

Потом пришли бесы. Достоевский оказался пророком. А сейчас или завтра в ее дом явится Раскольников и ударит по голове. Прихлопнет, как муху. Ей много не надо.

Физический страх вполз в душу, как холодная змея, и шевелился там.

А собственно, чего она так боится? Что у нее впереди? Одинокая больная старость. Стоит ли держаться за эту жизнь? Но быть прихлопнутой, как муха... Пасть от руки подонка без морали...

Лилек вспомнила наводчика и подумала: как же ему не стыдно? Но с другой стороны, он — вор. У него профессия такая.

Надо не задаваться интеллигентскими вопросами, а сменить замок.

На войне как на войне.

Возле телефона лежала записная книжка. Лилек раскрыла на букве «ю», против пометки «юридическая консультация». Набрала номер, подумав при этом, что почти никогда не звонила мужу на работу.

Леня отозвался сразу, как будто ждал. Услышал голос жены.

— Поздравляю, — сказал он вместо «здравствуй».

— С чем? — Страх вытеснил из Лилька все остальные реалии.

— С днем рождения, — напомнил Леня.

— А... Лучше скажи — соболезную.

— Вовсе нет. Поздравляю. Желаю. Ты цветы получила?

Лилек споткнулась мыслями.

— Какие цветы? — проверила она.

— Розовые розы.

— Это ты?..

— Здрасьте, — поздоровался Леня. — Проходите...

Видимо, к нему в кабинет вошли.

Лилек положила трубку. Мысли громоздились друг на друга, как вагоны поезда, сошедшего с рельсов.

Леня... Прислал цветы через магазин. Как в кино. А что она дала ему в этой жизни? Себя — страшненькую и неверную. Все, кого она любила, — мучили ее, мызгали и тратили. А Леня собирал. Как? Просто был. И ждал. И ей всегда было куда вернуться.

Почему он выносил эту жизнь без тепла? Потому что их брак оказался заключенным на небесах. И какие бы страсти ни раздирали их союз — ничего не получалось, потому что на земле нельзя разрушить брак, заключенный на небесах.

А возможно, все проще. Леня — верный человек. И Лилек — верный человек, несмотря ни на что. А верность — это тоже талант, и довольно редкий.

Лилек захотела есть и пошла на кухню. Открыла холодильник. Кошелек с деньгами лежал на полке, в том отделе, где хранят яйца. Как он там оказался? Он же не сам туда вскочил? Скорее всего она выгружала продукты из сумки и заодно выгрузила кошелек.

Вечером пришли гости — друзья их молодости и среднего периода. Стол был обильный, хоть и без затей. Еды и выпивки навалом. Лилек опьянела и стала счастливой. Для этого были причины. Во-первых, посыльный — не жулик, и это счастье. Как тяжело разочаровываться в людях и как сладостно восстанавливать доверие.

Во-вторых, на ее столе в стеклянной банке стояли розовые розы неправдоподобной красоты. Сильные перекрещенные стебли просвечивали сквозь стекло. Сверху красота и цветение, а внизу — аскетизм и сила, фундамент красоты. Букет-модерн.

Гости поднимали тост за вечную весну. Лилек усмехалась. Не надо утешений и красивых слов. Она — юная старуха. Впереди у нее юность старости, зрелость старости, а что там дальше — знают только в небесной канцелярии.

Леня напился и стал слабый. Когда все разошлись, он не мог встать с места. Лилек везла его на стуле до кровати, а потом снимала ботинки.

гладкое личико

У Елены Кудрявцевой образовался любовник на четырнадцать лет моложе. Ей — сорок пять, ему — тридцать один. Она решила сделать подтяжку.

Любовник, его звали Сергей, говорил: «Не надо никакой подтяжки, и так все хорошо».

И в самом деле было все хорошо. Елена выглядела на десять лет моложе своих лет, была изначально красива, похожа на балерину. Время, конечно, поставило свои метки — тут и там. Наметился второй подбородок, помялось в углах глаз — немножко, совсем чуть-чуть... Если бы не молодой любовник, сошло и так. Но...

Елена отправилась на операцию. Ей сделали круговую подтяжку. Операция оказалась нешуточной. Под общим наркозом отслаивали кожу от мышц, потом натягивали. Лишнее срезали. Среди волос над виском побрили дорожку — там резали и шили, чтобы подальше от лица.

После операции лицо вздулось, выползли синяки. Вид был как у алкашки, которую били ногами по лицу.

Елена испугалась, что так будет всегда. Она плакала тихонечко от боли и страха. Но на что ни пойдешь ради любви… И еще ради общественного мнения. Елене казалось, что их разница заметна. Люди смотрят и думают: что за пара? Мама с сыном? Или тетка с племянником?

Хотя если разобраться: что такое общественное мнение? Ничего. О.Б.С. — «Одна баба сказала»… Баба сказала и забыла. А ты стой с лицом, будто покусанным роем пчел. Не говоря о наркозе… Не говоря о деньгах, которые пришлось заплатить за операцию.

Через четыре дня Елена ушла из больницы, повязав голову платочком. А еще через день уехала на дачу, подальше от глаз. К тому же хотелось подышать и прийти в себя после физической агрессии на организм.

На дворе — начало июня. Стучал дятел. Сойки свили гнездо на заборе. Из гнезда торчали разинутые рты прожорливых птенцов. Бедная мамаша-сойка летала туда-сюда, поставляя червяков.

Елена медленно гуляла по своему кусочку леса. И когда оказывалась возле гнезда — сойка буквально пикировала сверху, отгоняла от гнезда. Это было довольно неприятно и опасно. Елена перестала заходить в тот угол своего участка.

На другом краю цвела клубника. Цветки — белые, трогательные, очень простые. Красота в простоте. Сорт назывался «виктория». Ягоды неизменно вызревали крупные, душистые, сладкие — одна к одной. Хоть бери и рисуй.

Елена преподавала русский язык иностранцам — двадцать долларов в час. Но в душе была художницей. Больше всего ей нравилось рисовать, а потом вышивать старинные гобелены. Небольшие, конечно. Маленькие миниатюры.

Елена очень нравилась своим ученикам-иностранцам. Но полюбила она Сережу. Не из патриотических соображений, а так вышло. Судьба подсунула.

Когда-то давно Елена была замужем. У них с мужем родился мальчик с болезнью Дауна. Врачи сказали, что причина болезни — лишняя хромосома. Казалось бы, лучше лишняя, чем не хватает. Но весь человеческий код нарушен. Муж не выдержал постоянного присутствия дауна. Не смог его полюбить. Елена вызвала маму из Сухуми, и они стали жить втроем. Никого в дом не приглашали. Стеснялись и не хотели сочувствия.

Елена любила сына всей душой, но к любви были примешаны боль и отчаяние. Что с ним будет, когда она умрет? Говорят, что такие дети долго не живут. Но и об этом не хотелось думать.

Со временем Елена приспособилась к жизни. Если разобраться — полная семья: она — добытчик. Мать — на хозяйстве. И наивный добрый ребенок, немножко пришелец с другой планеты. И все любят всех. Ко всему — денежная работа, интересное хобби, дружба с женщинами, любовь с мужчинами. Но вот подошло бабье лето, сорок пять лет.

И вместе с годами пришла нежная любовь. Сережа — провинциал. Слаще морковки ничего не ел. Елена казалась ему сказкой наяву. Будто ее не рожала живая женщина, а сам Господь Бог делал по специальным лекалам. Все пропорции идеальны, и ничего лишнего.

И это правда. Но время оставляет свои следы. Эти следы Елена решила убрать. И вот теперь бродит по дачному участку, осторожно ставит ноги: не дай бог споткнуться и грохнуться.

В природе давно не было дождя. Клубника «виктория» задыхалась и жаловалась. Елена взяла лейку, налила в нее воды. Немного, полведра, но все равно тяжесть. Елена стала поливать свою клубнику, чуть согнувшись. И вдруг услышала легкий треск в районе виска. Было впечатление, что лопнула нитка. И потекла горячая струя.

Елена сообразила, что от напряжения лопнул какой-то большой сосуд, височная вена, например. И кровь потекла в карман между кожей и мышцами. Так оно и оказалось. Во время подтяжки врач слегка задел крупный сосуд и тут же зашил. А сейчас при нагрузке шов оказался несостоятельным. Это называется послеоперационное осложнение.

Первая мысль, которая мелькнула: как же сын? Как они проживут без нее? Никак. Она не должна умереть. Ей нельзя.

Карман наполнялся кровью. Щека раздувалась, и казалось, что кожа сейчас треснет.

Телефона на даче не было. Дача — сильно сказано, просто скромный садовый домик в шестидесяти километрах от города. Елена поняла, что умирает. Сейчас кровь вытечет — и все. Так кончают с собой, когда режут вены у запястья. А не все ли равно, где вене быть перерезанной — у запястья или у виска.

Елена сообразила: надо, чтобы ее кто-то увидел. Она вышла за калитку. В то время мимо проходила соседка Нина Александровна, восьмидесяти четырех лет. Она жила здесь летом со своей старшей сестрой. Сестрички-долгожительницы.

— Вызовите мне скорую помощь, — тихо прошелестела Елена.

Слава богу, Нина Александровна не была глухой. Кричать бы Елена не смогла.

— Что с вами? — удивилась соседка, увидев неестественно раздутую щеку, величиной с маленькую подушку.

— Скорую... — повторила Елена.

В этот момент у нее лопнул шов на коже и часть крови рухнула на плечо. Стало легче. Но очень страшно от такого количества собственной крови.

Соседка остолбенела, не могла двинуться с места.

— Идите... — проговорила Елена.

— Да, да... Я сейчас дойду до конторы и позвоню...

Если бы Нина Александровна могла бегать, то она бы побежала. Но она могла только идти медленно, как гусь. Она двинулась к конторе, но вспомнила, что сестра ждет ее к обеду. Она решила прежде предупредить сестру, а потом уже отправиться в контору, которая находилась на расстоянии в полтора километра при въезде в поселок.

Нина Александровна страдала ишемией сердца и артрозом коленного сустава. Идти было тяжело. Но она все же дошла и позвонила, и растолковала: куда ехать, где свернуть и какой номер дома.

Скорая прибыла через два часа. Елена была жива, но лицо имело цвет снятого молока. Волосы слиплись скользкой коркой. Плечо и грудь в крови, будто ее убивали.

Врач — крепкий мужик лет пятидесяти — решил, что у нее пробита сонная артерия.

— Лежите, — приказал он. — Не двигайтесь. Вы можете умереть.

Он взял полотенце и стал заматывать, чтобы пережать сосуды.

— Кто это вас? — спросил врач.

— Никто. Я недавно делала пластическую операцию.

— Зачем?

— Чтобы хорошо выглядеть.

— Будете хорошо выглядеть в гробу, — буркнул врач.

Вошел санитар. Они уложили Елену на носилки и перенесли в машину. Ей больше не было страшно. Она понимала, что ее спасут. Сознание немножко путалось, но было при ней. «Только бы не потерять сознание», — подумала Елена и куда-то провалилась.

Очнулась на операционном столе. Над ней стоял врач, но не из скорой помощи, а другой — молодой и мускулистый, с серыми глазами. Они о чем-то переговаривались с медицинской сестрой. Полотенце сняли с головы, и горячая кровь изливалась редкими толчками.

— Зашейте мне сосуд, — проговорила Елена.

— Проплачивать будете? — спросил врач.

— Что проплачивать? — не поняла Елена.

— Все. Бинты. Манипуляцию.

— Я же умираю… — слабо удивилась Елена.

— Финансирование нулевое, — объяснил врач. — У нас ничего нет.

— Но руки у вас есть?

— А что руки? Все стоит денег.

— У меня кошелек в сумке. Я не знаю, сколько там. Возьмите все.

— Я в кошелек не полезу, — сказал врач, обращаясь к медицинской сестре: — Посмотри ты.

— Я тоже не полезу, — отказалась сестра.

Елена заплакала, в первый раз. Она поняла, что ее ничто не спасет. Последняя кровь уходила из нее. А у этих двоих нет совести. Им плевать: умрет она или нет. Им важны только деньги.

Большая часть ее жизни пришлась на советский период. И там, в Совке, ее бы спасли. Там все работало. Работала система, и были бинты и совесть. А сейчас система рухнула, и вместе с ней рухнула мораль. Если человек верил в Бога, то ориентировался на заповеди.

А если нет, как этот врач, — значит, никаких ориентиров. И придется умирать.

Слеза пошла к виску, вымывая себе дорожку. И в это время отворилась дверь, и вбежал Сережа. Видимо, Нина Александровна позвонила не только в скорую помощь, но и Елене домой, сообщила маме. А мама — Сереже. И вот он здесь.

Через минуту появилась капельница, хирургическая медсестра в голубом халате, а мускулистый хирург мыл руки для операции. Сережа все проплатил. В твердой валюте. Он был «новый русский» — молодой и богатый.

Через месяц Елена собирала клубнику «виктория» в плетеный туесок. Ягоды — одна к одной. Запах — несравненный. Ничто в природе не пахнет так, как земляника и клубника. В этом запахе — и горечь, и солнечный жар, и аромат земли. Описать невозможно, нечего и стараться.

Елена понюхала. Потом поела, чтобы восстановить гемоглобин. Потом помазала лицо. Через полчаса смыла маску.

Все швы затянулись и привыкли к новому натяжению. Лицо было гладким. Глаза сияли синим. Из глубины зеркала на нее смотрела молодая женщина лет тридцати. Не больше. Ей — тридцать. Сереже — тридцать один. Нормальная разница.

Фигура у Елены всегда была идеальной: ни убавить, ни прибавить. А теперь и лицо — гладенькое, как яичко. На сколько ей хватит такого лица? Лет на десять? А там можно опять подтянуть.

О том, что она чуть не умерла, как-то забылось. Было и прошло.

Мало ли что бывает…

как я объявлял войну японии
(рассказ переводчика)

Тогда я еще не был переводчиком. И вообще никем. Куском мяса для большой мясорубки. Мясорубка называлась Курская дуга, и меня повезли в сторону Курска. Но по дороге почему-то передумали и пересадили на поезд, который шел в противоположном направлении. На Дальний Восток. На границу с Японией.

Ехали мы долго. Месяц. И наконец прибыли в медвежий угол, который назывался Русский край. И действительно казалось, что здесь кончается все русское и вообще все кончается. Край света. И если встать на коленки и хорошо перегнуться за этот край Земли, то увидишь черный космос, как на картинке в детской книге. Короче, дыра дырой, дырее не бывает.

В части я был самый молодой, практически подросток. Меня любили «по-своему». «По-своему» — значит издевались. Не зло, добродушно, как дразнят котят или щенков, с преимущественной долей теплоты, но все же дразнят. Моим однополчанам казались забавными мои очки, малый рост, нежелание материться и пристрастие к стихам. Состав у нас был рабоче-крестьянский. Интеллигентскую прослойку представлял один я. Меня звали «недолугий». Что это значит, я не знаю до сих пор. Может быть, недоделанный. Но это не так. Я писал солдатам, вернее, солдатским девушкам, письма в стихах. Мне доверялось самое святое. Так что недоделанным я считаться не мог. За сорок пять лет я пролистал практически все словари, но слова «недолугий» так и не встретил. Видимо, это словотворчество.

Я сочинял письма другим, а своей девушки у меня не было. Была только мама, которую я любил с тех пор, как помнил себя. Она была по-настоящему красивой и по-настоящему умной. Она умела различать в жизни крупное и мелкое и не путать одно с другим, и в ней не было шелухи. Свойственной глупым людям. А еще мама была модница и очень веселая. Человек-праздник. Я всю жизнь искал женщину, похожую на маму, но так и не нашел. Она была одна. И в каком-то смысле она испортила мне жизнь. Когда смотришь на солнце, то потом ничего не видишь вокруг себя. Одни зеленые пятна. Хотя вокруг может быть много ценного.

Я родился недоношенным, рос слабым и действительно выглядел «недолугим» рядом с мамой. Когда нас видели вместе, то в каждых глазах я читал: «Такая мама и такой сын...» А некоторые прямо так и произносили. Именно этим текстом. С тех пор я ненавижу бесцеремонных людей. Бесцеремонность — это вид хамства.

Я любил маму еще потому, что она любила меня. Я казался маме невероятно умным, почти вундеркиндом, и невероятно обаятельным. Больше я никому не казался таким. И рядом с мамой меня никто не мог унизить.

Это чувство — отсутствие унижения — я испытывал в двух случаях: с мамой и на Западе, куда я стал ездить как переводчик немецкой поэзии.

Самое большое унижение — это страх. Но Сталин мог играть только на такой гитаре, когда все колки закручены и струны напряжены до последнего предела.

Ко мне иногда приходят странные мечтания: хорошо бы Сталин воскрес и явился на Верховный Совет послушать — как и чего. Явился бы и сел в президиум и приготовился к привычному славословию. А ему бы депутаты-демократы каждый по очереди вломили бы все, что о нем думают. Хотел бы я посмотреть на его усатую узколобую тяжелую рожу... Он бы глазами — туда-сюда: где Берия? Где сталинские соколы? Другие лица. Другие времена...

А еще я мечтаю, чтобы воскресла царская семья и вошла бы в зал Верховного Совета. Царевич в матроске, а девушки в белых платьях. И зал бы приветствовал их стоя и плакал. И они сами тоже плакали.

И вся страна перед телевизорами плакала бы. И после этого настало бы в нашей жизни что-то очень хорошее. Потому что на невинной крови ничего нельзя выстроить. Вернее, можно: то, что мы выстроили... Да... Так о чем я? О маме и папе.

Папу я тоже любил, но он был из тех, кто предпочитал жить в свое удовольствие. Если, скажем, он устремляется на кухню выпить воды, а на пути — кошка, он отшвырнет ее тапкой. Не убьет, не приведи господь, но отшвырнет, потому что кошка на пути к цели.

Как правило, такие люди не умеют думать ни о чем, кроме своей цели. Хорошо, если цель крупна. Крупнее стакана воды. У отца не было друзей, и он был одинок в конечном счете.

Я сделал вывод: надо жить в свое удовольствие, но своим удовольствием избрать делание добра — добродетель. Все взаимосвязано: ты удобряешь (опять от слова «добро») — тебе растет. И на земле. И в душе.

Жил отец долго, до девяноста лет, поскольку ничего не брал в голову, нервы у него были крепкие, как веревки. Под конец как бы сбрендил, но он сам этого не заметил, и мы тоже не замечали, потому что перестали в него вникать задолго до того, как он сбрендил.

Но о чем это я? Защита восточной границы не занимала моего ума. Я томился каким-то лучезарным томлением и все время чего-то ждал: конца войны, победы над врагом, возвращения к мирному времени, в котором я задохнусь от счастья. Именно задохнусь, именно от счастья. А мясорубка войны работала неустанно и у нас, и у немцев, и Гитлер с Евой Браун уже отпраздновали в бункере свою свадьбу, чтобы в законном браке отметить следующее мероприятие: свою смерть.

И Магда Геббельс уже взяла мужа под руку и пошла с ним в последний путь, ожидая пули в затылок.

А я томился своим лучезарным томлением, и кончилось все тем, что влюбился в местную девушку. От нее восхитительно пахло простым мылом. До сих пор помню этот запах и ее натянутый лобик. Кожа такая гладкая, что блестела. Глаза голубые-голубые, доверчивые. А мне не доверяла, и уговаривать пришлось долго. Я клялся, божился в вечной любви и сам себя уговорил. Я действительно влюбился, как это бывает в двадцать лет. Бывает и позже, и в сорок, и в шестьдесят, но тогда включается опыт. А в двадцать лет ничего не включается, одна сплошная любовь. Я ходил и бредил, бормотал стихи. Наверное, тогда я становился поэтом.

Моя девушка мне не доверяла и правильно делала. Война подходила к концу. Солдаты разъедутся и тоже правильно сделают: кому охота застревать в этой дыре, когда победа не за горами, и вся жизнь впереди, и Родина воздаст солдату, отблагодарит за победу. Но Сталин счел, что благодарность — это собачья болезнь. Родина тебе ничего не должна, ты ей должен все и всегда.

Мы еще этого не знали. Мы верили. Любили. Были молоды, а молодость сама по себе сокровище, независимо от того, в какое время она отпущена, твоя молодость.

Я поначалу не особенно нравился моей девушке: маленький, очкастый, нерешительный. У нас такие орлы были — Валерка Осипов, например: высокий, статный, глаза горят мрачным пламенем. Говорили, сама генеральша, жена генерала Самохвалова, голову потеряла до того, что за генерала обидно.

А я что… Зато я знал много стихов. До сих пор не понимаю, как у меня в голове столько умещалось. Целая библиотека. Вот сейчас, например, вся память стерлась. Даже имена не помню. Встречаю знакомого, думаю: как его зовут? Ставлю себе вопрос: КАК ЕГО ЗОВУТ? Мысленно отвечаю: ПАВЕЛ. И только после этого: «Здравствуйте, Павел».

А тогда… Моя девушка, конечно, ничего не понимала в поэзии. Она работала в деревне почтальоном. Но ее слух завораживали рифмованные строчки. Она как бы впадала в гипноз и, находясь под гипнозом, могла поверить во что угодно. В то, что я умный, например, и необыкновенный. Все обыкновенные, а я нет. В этом она совпадала с мамой. Вообще я заметил, что любовь обряжает человека, высаживает клумбы у него на голове. А ненависть раздевает догола, и человек становится серийный, заурядный, в общем ряду и даже в хвосте человеческого ряда.

Моя девушка считала меня необыкновенным, а раз я выбрал ее, то свет избранности лежит и на ней, моей девушке. И ей уже хотелось быстрее окончить свою работу, видеть меня, слышать и уважать.

Однажды ее мать уехала в соседнюю деревню обвывать погибшего деверя. Война все еще шла, гибли отцы, и дети, и девери, и шурины, и свояки, и вой стоял над Россией, как пар над закипевшей кастрюлей. Кто такой деверь, равно как и шурин, я не знаю до сих пор. Но это не важно. Важно то, что я читал ей стихи не на улице, а у нее дома. Над столом висел абажур, к стене прилепились бесчисленные фотографии.

Я принес банку американской тушенки и сгущенное молоко. Тушенку она прибрала на потом, а сгущенное молоко мы ели с хлебом. Сорок пять лет прошло, а я помню, как было вкусно. С тех пор я много пробовал изысканных блюд, например, дыню с креветками, обезьяньи мозги, устриц, да мало ли чего придумало сытое человечество. Но такого гастрономического наслаждения я не испытывал никогда. Мы ели и неотрывно смотрели друг на друга, что тоже было большим счастьем. Два счастья: зрительное и вкусовое.

Потом мы легли на кровать одетыми. Мы не раздевались и тем самым как бы заключили уговор: ничего не будет, просто так полежим. Мы просто целовались, каждый поцелуй длился все дольше. Незаметно включились руки. Я довольно быстро нашел руками то, что искал. Она дернулась, но я каким-то образом дал понять, что уговор в силе, опасности для нее нет, что дальше жеста дело не пойдет. Моя девушка поверила, расслабилась.

Я поразился, до чего незащищенно-нежной бывает человеческая плоть, как лепестки мака. Я, как слепой, осторожно исследовал миллиметр за миллиметром.

Дело двигалось в неотвратимом направлении, так подбитый самолет может устремляться только вниз и ни в коем разе вверх.

Я пытался расстегнуть свои одежды, моя девушка мне помогала и тряслась, как в ознобе, наши пальцы сплетались, путались. Ничего не имело значения: ни моя мама с ее высоким уровнем, ни война, ни будущее моей девушки, только настоящее, сиюминутное, сейчас.

«Блажен, кто, познавая женщину, охранен любовью». Я был охранен любовью, а потому блажен и подвигался к главному событию своей жизни. Но в этот момент, за секунду до главного события, постучали в окно, и жизнерадостный голос Семушкина громко сообщил:

— Левка, тебя в штаб вызывают.

Этот стук и голос ударили меня, как дверью по лицу, и полностью выключили из состояния любви.

Семушкин знал, куда я пошел, доложил остальным, и они всем скопом решили поразвлечься. Что им до моей любви?.. А когда я вернусь, меня встретит дружный хамский гогот, потому что смехом это не назовешь. Коллективное ржание. Коллектив.

Я застегнул свои солдатские брюки. Я так ничего и не свершил. И слава богу. Какой был бы ужас, если бы моя девушка теряла невинность под окрик Семушкина. Это осталось бы с ней на всю жизнь.

Что я мог сделать? Я мог встать, разыскать Семушкина и набить ему морду. Я зажмурился и представил в подробностях, как я посылаю кулак в бесцеремонную наглость всего человечества, и эта наглость имеет черты Семушкина. Я ненавидел и лежал в ненависти, как в кипятке. Сейчас я понимаю: ненависть — это тоже страсть.

Сейчас я уже не могу так остро ненавидеть. Бывает, конечно: взметнется ненависть, как волна, и тут же опадет, и только пена на поверхности, а потом и пена рассеется. Жалко тратить здоровье на ненависть: давление скачет. Голова болит… Да… Лежу. Ненавижу. Моя девушка, она так и осталась девушкой, принялась утешать меня. Она низко наклонилась над моим лицом и шептала что-то нежное, утоляющее душу. Ее шепот касался моей кожи, я слышал губами, как шевелятся ее губы. Но я настаивал на обиде, как будто моя девушка была виновата в хамстве Семушкина. Мы как бы поменялись с ней местами: это я боюсь потерять невинность, не дай бог забеременеть и остаться с ребенком на произвол судьбы.

Постепенно ее шепот и нежные увещевания взяли свое, я тихо-тихо начал перестраиваться на прежнюю стезю. Начал все сначала: с поцелуя. Я уже не был новичок, я уже знал, что за чем и в какой последовательности.

У Бернса есть стихи в переводе Маршака: «А грудь ее была кругла, как будто ранняя зима своим дыханьем намела два эти маленьких холма. Был нежен шелк ее волос и завивался, точно хмель, и вся она была чиста, как эта горная метель. Она не спорила со мной, не открывала милых глаз...»

Моя девушка тоже не спорила со мной. Была готова на все. Красный свет запрета переключился на зеленый. Путь был открыт, но в этот момент снова раздался стук в окно и раздраженный голос Семушкина прокричал:

— Левка! Ну какого хрена? Тебя в штаб вызывают!

Я откинулся на подушку. Во мне разлилась немота и плоти, и духа. Ну как можно жить в этом мире, где Бернс и Семушкин и где Семушкин оказывается реальнее?

— Слушай, а может, тебя действительно вызывают? — предположила моя девушка.

Коварство было ей несвойственно, и она не предполагала его в других.

Я посмотрел на часы. Шел второй час ночи. Кто вызывает в такое время? Но так или иначе ночь была испорчена. Я оделся и пошел в штаб. На всякий случай.

Если меня не вызывали, я вернусь и застрелю Семушкина. Правда, у него тоже есть мама, и придется ей писать письмо и объяснять причину. Причина в маминых глазах будет выглядеть неубедительно. Ладно, не застрелю. Но изметелю, буду топтать ногами. Я как-то не учитывал, что Семушкин на треть метра выше меня и на тридцать килограммов тяжелее и вряд ли захочет лежать под моими ногами и меланхолично сносить мою ярость. Было прохладно, я шел скоро и ходко. Пространство и время постепенно выветривали из меня мою ненависть. Я решил, что воздействие словом тоже очень сильное воздействие, надо только найти единственно нужные слова и правильно их расставить.

Я мысленно намечал тезисы и не заметил, как дошел до штаба. Штаб располагался в деревянной избе. Я вошел и замер от золотого сверкания. Передо мной в золоте погон и наград, как иконостас, стоял сам маршал, я узнал его по портретам. Возле маршала присутствовал генерал Самохвалов. Он всегда казался мне величественным, монументальным, но сейчас как-то пожух и потускнел, как будто маршал вобрал в себя весь свет, оставив все остальное в тени — и деревянную избу, и генерала Самохвалова, и меня вместе с моей любовью.

— Печатать умеешь? — спросил маршал.

На столе стояла пишущая машинка фирмы «Континенталь». Такая же стояла у меня дома на письменном столе.

— Умею, — сказал я.

Я понял, что меня искали как самого образованного солдата.

— Садись, будешь печатать, — велел маршал каким-то домашним, бытовым голосом.

В Америке, например, булочник и президент не то чтобы равны... Нет, конечно, но это два человека с разными профессиями.

Один правит, другой печет хлеб. Но они оба — люди. Сталин вбил нам в голову иную дистанцию: он — голова в облаках, а ты — заготовка для фарша в его мясорубке. Поэтому, когда сталинский сокол нормальным голосом спрашивает тебя, умеешь ли ты печатать, тут можно в обморок упасть.

Но я не упал. Я сел за машинку, а генерал Самохвалов стал диктовать мне текст. В нем сообщалось, что такого-то и во столько-то Советский Союз объявляет войну Японии. Такого-то — это сегодня, в шесть часов утра. А сейчас два часа ночи. Значит, через четыре часа.

Я отстукал двумя пальцами продиктованные слова. У меня вспотели ладони.

— Можешь идти, — отпустил маршал.

Я поднялся на ватных коленях.

— За разглашение тайны расстрел без суда и следствия, — предупредил Самохвалов. — Понял?

— Да, — сказал я.

Это значит, если я сейчас выйду из штаба и кому-нибудь расскажу, что через четыре часа начнется война с Японией, в меня тут же выстрелят, а потом зароют на полтора метра в землю вместе с моим лучезарным томлением, стихами, моей плотью, никогда не познавшей женщины.

— Ты меня понял? — еще раз переспросил Самохвалов.

— Да, — подтвердил я.

Я повернулся и пошел и был уверен, что мне выстрелят в спину. Мир сталинской политики и уголовный мир имели одни законы: не оставлять свидетелей. Может, не скажешь, а вдруг скажешь? Зачем рисковать?

Я шел и ждал, как Магда Геббельс, с той разницей, что в нее должны были выстрелить по ее желанию. Она сама об этом попросила.

У тела свои законы. Когда оно ждет любви, оно устремляется к предмету любви, выдвигая навстречу все, что может выдвигаться. Когда оно ждет смерти, оно сжимается до плотности металла, и даже кровь как будто прессуется, а глаза вылезают от нечеловеческого напряжения. Мне казалось, что сейчас мои глаза вывалятся из орбит и скатятся на землю, как две большие густые слезы... А что я мог сделать? Я мог только идти. И я шел. И ждал спиной, участком между лопатками, и от этого мое тело выгибалось, как будто я хотел вобрать в себя свою спину.

Никогда больше я ТАК не боялся.

Вообще в тот вечер, вернее, в ночь, я впервые испытывал главные человеческие состояния: ЛЮБОВЬ, НЕНАВИСТЬ, СТРАХ.

Я и позже любил, ненавидел, боялся, но уже по-другому. С иммунитетом.

Я шел, а выстрела все не было. Я больше не мог находиться в безвестности, обернулся и увидел, что расстояние между мной и штабом пусто. Никто за мной не идет, и никто не целится. Может быть, маршал и Самохвалов сели пить чай. Объявили войну и уселись за самовар или за рюмочку, отметить мероприятие. А возможно, легли спать. Ведь уже третий час ночи. Даже птицы спят в это время.

Напряжение во мне спало и единомоментно превратилось в свою противоположность. Я был уже не твердое тело, а какая-то желеобразная субстанция, которая не могла держаться на ногах. Я привалился к дереву. Мои внутренности будто опали и осыпались в конец живота и пульсировали как попало.

Идти я не мог. Да и куда? К моей девушке? Но запретная тайна заполняла меня от макушки до пят, и для любви там уже не было места. В казарме — Семушкин. Я приду, Семушкин проснется и спросит: «Зачем тебя в штаб вызывали?»

Я скажу: «Да так, ни за чем».

«Ни за чем не вызывают, — не поверит Семушкин. — Говори…»

И я не смогу соврать. Не сумею. Ложь и тайна (что тоже форма лжи) не удерживаются во мне, как испорченная пища. Мне хочется исторгнуть это из себя, иначе наступит полное отравление организма. Я физически не умею хранить тайны. Из меня никогда не вышел бы шпион.

Я решил пересидеть в лесу до шести утра, до тех пор пока не начнется война.

— Левка! — услышал я ленивый голос. — Поди сюда!

Я обернулся и разглядел фигуру Валерки Осипова. Он стоял в сером тумане раннего утра и мочился.

— Чего тебе? — Я не двинулся с места. По-
дозрительно следил за Осиповым. Он мочился шумно и мощно, как конь.

— Иди ближе. Что я, орать буду?

Я сделал два шага в его сторону и снова
остановился на безопасном расстоянии.

— Ну подойди, ей-богу...

Валерка стоял такой полноценный, уве-
ренный в себе. А я такой запуганный, зачу-
ханный, что мне стало обидно за себя.

Я подошел вплотную и бесстрашно посмотрел в его глаза. Снизу вверх, но как бы
на равных.

— Ну, чего тебе? — небрежно поинтересовался я.

— Наши войну Японии объявили, — сообщил Валерка, застегивая штаны.

Я оторопел:

— А ты откуда знаешь?

— Мне Самохвалиха сказала: приходи, говорит, ночью. Мой в штаб уйдет. Я говорю:
а вдруг вернется? Не вернется, говорит, они
сегодня Японии войну объявлять будут. —
Валерка застегнул штаны и пошел — легко
и красиво, свободный ото всех лишних на-
полнений в организме.

Я до сих пор помню, как он шел в рассвет-
ной мгле и как вообще передвигаются молодые и счастливые люди.

В меня вдруг вернулась упругая сила, и я
всю ее употребил в скорость. Я бежал к своей
девушке и стучал, стучал, стучал... Она открыла мне — сонная, беззащитная, в шелке
волос.

Война с Японией закончилась двумя бомбами на Хиросиму и Нагасаки. Я объявил войну, американцы закончили. Но это было через несколько месяцев.

А сейчас я прижимал к себе мою девушку, как будто держал в руках свою вернувшуюся жизнь. А так оно и есть, ибо ЖИЗНЬ и ЖЕНЩИНА — это одно и то же.

ЛИЛОВЫЙ КОСТЮМ

Молодая скрипачка Марина Ковалева получила приглашение во Францию на фестиваль, который назывался так: «Европа слушает».

Когда-то ее слушали только мама и бабушка, и главная мечта Марины: чтобы ее послушал папа. Но папа был постоянно занят. Он поздно приходил домой, поздно просыпался, и Марина его практически не видела.

Марина все детство мечтала, как папа однажды придет и сядет в кресло, а она перед ним со скрипкой на плече и с бантом в волосах. Она будет играть, а папа слушать.

Случалось, папа приходил и садился, но не слушал. Он всегда торопился. Бабушка его за это тихо ненавидела, а мама уважала. Она говорила бабушке: «Дома сидят только бездари и подкаблучники».

Марину отдали в музыкальную школу с пяти лет, и сколько она себя помнила — всегда со скрипкой. Она иногда задумывалась: что было вначале — скрипка или Марина? Очень может быть, что вначале — скрипка, а уж к ней приторочили маленькую девочку с большим бантом. Потом девочка росла, бант сняли. И вот уже — молодая женщина тридцати семи лет без мужа и без ребенка. Вместо мужа и вместо ребенка — исполнительская деятельность.

Профессионалы отмечали оригинальное прочтение и супертехнику. Марина не мазала. Каждая нотка — как отдельный серебряный шарик. Во время ее концертов на людей просто обрушивался чистый серебряный дождь, и было непонятно, как человек, тем более женщина, может достигнуть такой техники. Слово «техника» даже не подходило. Скорее: явление природы. И вся Марина — явление природы, красивая, гордая, фанатично преданная музыке.

Казалось, мужчины должны пачками валяться у нее в ногах. Но никто не валялся. Боялись, наверное. Думали: у нее скрипка есть. Зачем я ей нужен?

Была у Марины первая любовь. Учитель, в прямом смысле. Он ей преподавал «божью искру». Если ее можно преподать. Но, наверное, можно. Марина его любила.

Мама говорила: первая любовь, пройдет, все еще будет… Но ничего не проходило и не пришло.

Когда долго смотришь на солнце, потом ничего не видишь вокруг. Так и у нее. Хотя какое там солнце… Женатый, с камнями в желчном пузыре. Женатое солнце с камнями. А она хотела покончить с собой. Даже приготовила настойку. Даже хлебнула один разочек, но испугалась. Папа тогда отбросил все дела и водил ее в бассейн и в цирк, как маленькую. И держал ее за руку.

Женатое солнце с камнями закатилось за горизонт, ушло в Америку. Но остались скрипка и искра божия, которую он преподал. И вот теперь «Европа слушает».

Самолет приземлился в парижском аэропорту. Марину встретила переводчица, которая держала в руках табличку. На табличке латинскими буквами была написана ее фамилия.

Марина подошла к переводчице, они радостно заулыбались друг другу. Переводчица радовалась, что так легко нашла Марину. А Марина радовалась, в свою очередь, что ее встретили. Все-таки страшно оказаться в чужом городе без языка и без денег.

Переводчица представилась:

— Барбара...

По-русски это имя произносится: Варвара с ударением на второе «а». И Барбара звучит несомненно более красиво.

Они уселись в машину. Барбара сообщила, что городок, в котором будет проходить фестиваль, совсем маленький, не имеет своей промышленности. Это город-музей, основанный в одиннадцатом веке. Мэр города очень прогрессивный человек и время от времени устраивает фестивали, чтобы жители были в курсе всех культурных событий.

«Мэр старается для города, — подумала Марина, — но и для себя он тоже старается. Иначе его не выберут на другой срок».

Барбара вела машину легко и мастерски. На нее было приятно смотреть. Уверенная в себе, ухоженная, в элегантном лиловом костюме — хозяйка жизни.

Марина считала, что в ее жизни — два тяжелых недостатка. Не умеет водить машину и не знает языки. От этого образуется постоянная зависимость: кто подвезет и кто переведет.

Дороги были гладкие, широкие, обустроенные бензоколонками, магазинчиками и кафе.

Барбара притормозила машину. Зашли в кафе.

Еда была восхитительная, особенно пирожные с черникой. Сосиски — горячие, сочные, душистые, с горчицей. Горчица — не горькая, с каким-то запахом. Не понравилась. Русская лучше. Русская горчица рвет глаза, а эта — так. Непонятно зачем. Какая-то десертная горчица.

Барбара ела очень красиво. У нее были красивые руки, тонкие в запястьях. Маникюр — как особое украшение. «Не замужем», — подумала Марина.

Марина срезала ногти, у нее пальцы — рабочий инструмент, а у Барбары — боевое оперение.

Сосиски не надо было чистить. Кусай и ешь и жмурься от счастья. Жизнь складывалась неплохо. Вот ее уже слушает Европа, а потом можно пригласить весь мир. И это не в конце жизни, а в первой половине. За талант дают горячие сосиски, черничное пирожное. И что-то лишнее. Лишнее — свобода. Она ничего никому не должна. Ни мужчине, ни ребенку. Это плохо. А чего не хватает? Колена. Вот сейчас сидела бы в этом маленьком придорожном кафе, а под столом колено любимого человека. Сидели бы коленка к коленке. И тогда совсем другое дело.

После первой неудачной любви Марина выходила замуж три раза. Первый муж был интересный человек, но пил. Приходилось таскать на спине.

Второй — не пил, но не зарабатывал. Созерцал жизнь, как дзэн-буддист. Сидел на шее. Марине приходилось быть всем: и кухаркой, и любовницей, и Паганини.

Третий муж — не пил. Зарабатывал. Но скандалил. Орал так, что поднимался потолок. Причина? Никакой. Просто из него, как из вулкана, выходила раскаленная магма или ядовитый дым. Сидеть и вдыхать такой дым — мало радости. Никакой любви не захочешь. Лучше — одной.

Каждого из трех Марина поначалу любила. И когда все начиналось, то их недостатки казались ерундой на фоне мощного физического притяжения и нежности. Казалось, что все можно победить и преодолеть: пьянство, лень, скандалы. Но со временем физическое притяжение ослабевало, любовь мелела, как озеро, а недостатки росли и давили, как монстр. И все рушилось в конце концов.

Марине хотелось встретить такого, который бы совмещал достоинства всех троих: интеллект первого, красота второго, экономическая мощь третьего.

Но такие ей не попадались. Может быть, таких в России нет вообще, может быть, они водятся где-нибудь в Австралии.

Однако была еще одна причина ее одиночества. Она не могла забыть своего Маэстро и всех с ним сравнивала. И никто не выдерживал сравнения. Маэстро играл на скрипке лучше, чем она. Лучше всех людей. Лучше, чем Паганини. Или так же.

Марина вздохнула. Она никогда не забывала о нем. Когда настоящее — это не проходит. И все, что Марина делала, — для него. Худела, становилась независимой, знаменитой — все это был диалог с ним. И даже лиловый костюм — тоже для него.

— Вы хотите получить деньги в начале или в конце? — спросила Барбара.

— Все равно, — сказала Марина.

— А как у вас в контракте?

— Я не обратила внимания.

Барбара удивленно пожала плечами: дескать, как это не обратить внимание на финансовую сторону контракта.

У нее были волосы цвета древесной стружки, синие глаза, красивые крупные зубы. По отдельности все хорошо, а вместе не складывалось. Может быть, причина — в выражении лица. В нем стояла скрытая агрессия. Ей все не нравилось. Такие характеры — как ветреная погода. В такую погоду — неуютно, стоишь и кутаешься.

И постоянно чувствуешь себя виноватой, непонятно в чем. В чем ее вина?

В том, что пилила на скрипке с пяти лет, отрабатывая технику. Это не вина, а способность к развитию способностей. У одних есть такая способность, а у других нет.

Бабушка, верящая в загробную жизнь, говорила, что на том свете одни спят, а другие работают, продолжают дело, начатое на земле.

— Но ведь и на этом свете половина людей спит, хоть и живет, — возражала мама.

— Правильно, — соглашалась бабушка. — Они тут спят и там спят.

Марина с ужасом думала, что и после жизни придется пилить, поддерживая скрипку подбородком. Это уже не вдохновение, а наказание.

Но сейчас рано об этом думать. Сейчас она едет по осенней Франции, а рядом с ней Барбара, серьезная и обстоятельная, как параграф. Принято считать, что француженки легкие и легкомысленные. А у Барбары все четко: дважды два — четыре, а трижды три — девять. Что, в общем, так оно и есть.

— Сколько вам лет? — спросила Марина.

— Тридцать два с половиной. А что?

— Вы замужем?

— Нет.

— И не были?

— Не была. А что?

— А почему вы не замужем? — спросила Марина и вдруг поймала себя на том, что проявляет излишнее любопытство. В Европе не принято лезть в чужую душу и выворачивать свою. Она ждала, что Барбара замкнется или одернет. Но она вдруг сказала:

— Я не люблю мужчин.

— Почему? — не выдержала Марина.

— Потому, что я люблю женщин.

Марина замерла, как будто подавилась. Она, естественно, слышала о лесбиянках, но никогда не видела их так близко возле себя. В глубине души ей казалось, что лесбос — это осложнение, возникшее от плохого опыта с мужчиной. Женщина боится повторить плохой опыт и избегает мужчин. Это как страх руля после аварии. Западные женщины боятся обжечься в очередной раз. А русские женщины готовы обжигаться постоянно.

— А мужчина у вас был? — осторожно проверила Марина.

— Да. Вернер.

— И чего?

— У него было двое детей.

— А жена? — удивилась Марина.

— Жена его бросила и оставила детей с ним.

— Насовсем?

— Нет. На время. Мы жили у него вчетвером: он, я и двое детей. Они меня возненавидели.

— Это понятно.

— Понятно, но не приятно. Мальчик говорил мне: уходи!

— А сколько лет мальчику?

— Шесть.

— А дальше?

— Я ушла. Мне было очень трудно. Я уже ничего не хотела, ни Вернера, ни его детей.

— А сколько вам было лет?

— Восемнадцать.

Марина представила себе юную девчонку, которая как в кипяток окунулась в обслуживание чужих детей и в их ненависть. Никакой любви не захочешь.

— Вернер и все? — спросила Марина, отмечая похожесть. У нее был Учитель — и все. Неужели и здесь то же самое?

— Был еще один. Райнер. Мы с ним работали.

— Где?

— В ратуше.

— В церкви? — удивилась Марина.

— Нет. Это как ваш исполком.

— А откуда вы знаете про исполком?

— Я училась в Москве. Изучала русский язык.

Марина вдруг отметила, что Барбара свободно говорит по-русски, с легким акцентом, как прибалтка.

— А что вы делали в ратуше?

— Занимались культурой. Райнер был мой начальник.

— Чиновник, значит, — догадалась Марина.

— И что? Это совсем не важно, чем человек занимается. Главное — какой он сам. Разве нет?

— А какой он был сам?

— Скользующий. Не берущий ответственности.

Марина догадалась: скользующий — это скользкий. Приходил, ел, обнимал и уходил. И никаких перспектив.

— Я уехала на каникулы в Исраэль, — продолжала Барбара. — И встретила там Яхель.

— Яхель — это женщина? — спросила Марина.

— Ну да… Еврейка.

— Молодая?

— Не очень. Ей было за пятьдесят лет.

— А зачем вам старая еврейка? Нашли бы молодую…

— Когда я влюбляюсь, остальное не имеет значения.

— И что Яхель? Она была лесбиянкой?

— Бисексуал.

— Но ведь и вы тоже получается би. С теми и с другими.

— Нет. Я поняла с Яхель, что мужчина меня совсем не интересует больше. Я вернулась и сказала Райнеру, что у меня с ним все! У меня есть Яхель.

— А он?

— Ничего. Сказал: ну, хорошо…

По-русски это называется: баба с воза, кобыле легче.

— Вечером я позвонила Яхель и сказала: я порвала с Райнером, теперь я — только твоя.

Барбара замолчала.

— А она? — подтолкнула Марина.

— А она ответила: ты — немка. Я ненавижу немцев за холокост. Я ненавижу немецкий язык и немецкий акцент. Не звони мне больше никогда. — И бросила трубку.

— А разве вы немка? — спросила Марина.

— Да. Мои родители живут в Гамбурге.

— А что вы делаете во Франции?

— Здесь у меня работа. Европейцы живут там, где есть работа. А русские — там, где жилье.

— Значит, ни Райнер, ни Яхель? — подытожила Марина.

— Только синхронный перевод...

— А у меня скрипка.

Они полуулыбнулись друг другу одинаковыми полуулыбками, ощущая общность судеб. Это объединяло. Сплошная работа — и никакой любви.

Барбара включила магнитофон. Зазвучала музыка, похожая на вальс Штрауса. Марина прикрыла глаза, казалось, что машина скользит в ритме вальса.

Въехали в город.

Марина никогда в своей жизни не видела ничего подобного. Никакого современного строительства, только строения одиннадцатого века. И в них живут люди.

Барбара пояснила, что начинка домов — современная: электричество, канализация, отопление — все удобства. Но дизайн — прежний. Старину не трогают. Старина, подлинность — это и есть дизайн. Люди практически живут в музеях.

От домов к шоссе пролегала каменная ложбинка.

— А это что? — не поняла Марина.

— Сток для нечистот, — сухо объяснила Барбара.

— Прямо посреди города?

— Ну не сейчас же... — успокоила Барбара. — В глубокой древности.

— Прямо вот так? Дерьмо посреди улиц?

— Ну конечно...

Марина задумалась: антисанитария и вонь. Не такое уж удовольствие жить в одиннадцатом веке. Все же цивилизация — полезная вещь. Но те, из одиннадцатого века, привыкли, наверное. Так же через десять веков будут удивляться чему-нибудь из нашей жизни. Чему?

Гостиница — серое, длинное строение — походила на сарай.

— А что здесь было раньше? — спросила Марина.

— Сарай для мутонов.

Марина догадалась, что мутоны — это бараны, так у ее мамы была когда-то мутоновая шуба. И еще она знала поговорку: «ретурнон а нон мутон», что значило: вернемся к нашим баранам.

— Вы устраивайтесь, я вас внизу подожду, — предложила Барбара.

Марина отметила ее такт. Было бы действительно неудобно принимать душ, переодеваться, мелькать частями тела в присутствии постороннего человека, пусть даже женщины и даже лесбиянки.

— Я закажу что-нибудь горячее? Что вы хотите?

— Грибы или креветки.

На Западе Марина любила то, что редко ела дома.

Марина поднялась в номер. Быстро по-солдатски приняла душ, вымыла голову. В ванной стояло жидкое мыло, и Марина скользила руками по своему молодому крепкому телу. И тот факт, что ее ждала внизу лесбиянка, каким-то образом не то чтобы волновал, нет. Но влиял на ее отношение к своему телу. И духу. В конце концов у нее есть выбор. Можно перестать зависеть так унизительно от мужчины. А ведь ни от чего так не зависишь, как от смерти и от любви.

Через двадцать минут Марина и Барбара сидели за столом гостиничного ресторана. Стены ресторана были закопченными. В сводчатый потолок вбиты крюки.

— А крюки зачем?

— Для туш мутонов.

— А побелить нельзя? — спросила Марина.

— А зачем? — не поняла Барбара.

И в самом деле. В этой закопченности — время. А в побелке — отсутствие времени.

Официант принес грибной суп-пюре в глубокой глиняной чашке. Сверху — щепотка укропа, зеленый островок на светло-бежевом. В нос ударил грибной чистый дух. Марина погрузила ложку, попробовала. Закрыла глаза. Счастье, вот оно…

Она ела медленно, наслаждаясь.

Официант принес лобстеры на гриле и зеленый салат. Лобстеры пахли йодом, водорослями, здоровьем.

Марина ела изысканную еду, при этом ощущала свои чистые волосы, пахнущие хвойным шампунем. Запахи в первую очередь несут информацию хорошей и плохой жизни. Хорошая жизнь пахнет хвоей и йодом. А плохая… Но зачем сейчас о плохой?

Барбара была немногословна. Она красиво ела, сосредоточенно расплачивалась. Брала у официанта какую-то бумажку.

Марина догадалась: расплачивался фестиваль. Барбара потом сдаст все бумажки в бухгалтерию и получит обратно все деньги. Очень удобно.

Казалось, что весь город собрался в зал под открытым небом. В одиннадцатом веке эти земли принадлежали римлянам. Должно быть, здесь своего рода колизей: каменные лавки полукругом.

В зале было много армян, приехавших из России. Если можно так сказать: русских армян. Марина заметила, что армяне предпочитают эмигрировать во Францию. Должно быть, у них тут сильная диаспора и взаимоподдержка.

Марина вскинула свою скрипку и стала играть. Музыка — одна для всех. Но люди — разные. Одни слушают непосредственно музыку, другие думают в это время о своей жизни. Однако молчание — общее. Музыка объединяет души в одну.

Марина играла концерт Брамса — сочетание мелодии и техники. Когда закончила и опустила скрипку, зал взорвался аплодисментами. Все смотрели на Марину с восхищением. Это она заставила их пережить высокие минуты.

Марина сдержанно кланялась. И совершенно невозможно было в эту минуту представить, что она одна и одинока.

Барбара восторженно глядела на Марину, улыбалась, светилась глазами и зубами и была похожа на веселого волка. На хищника в хорошем настроении. Она сложила два пальца в кольцо, дескать: хорошо, о'кей, формидабль.

После концерта давали банкет. Устроители раскинули столы под открытым небом. Люди бродили между столами, брали бокалы и тарелки с закусками.

Стемнело. Зажгли прожектора. Марине казалось, что она — на сцене Большого театра. Дают историческую оперу. На сцене — солисты и массовка.

Молодые тусовались с молодыми, возрастные — с себе подобными. Марина стояла рядом с Барбарой. Иногда к ней подходили горожане из разных тусовок, задавали вопросы. Барбара переводить отказывалась.

— Вы видите, я ем... — отшивала она. Но Марина понимала: Барбару раздражает ее публичность. Она хотела Марину только для себя. Так ведут себя дети на прогулке. Не разрешают матери заговаривать с посторонними.

Барбара пила пиво из большой кружки, вокруг нее витали напряжение и агрессия. Это было давление своего рода. Марина не выносила, когда что-то решали за нее. Но положение было безвыходным: или ссориться с Барбарой, или терпеть. Марина выбрала второе. Постепенно вокруг них образовался вакуум. Люди разлетались от Барбары, как мотыльки от запаха хлорофоса.

— Ты хочешь иметь детей? — спросила Марина, перейдя на «ты».

— Нет! — отрезала Барбара.

— Почему? Ты же женщина…

— Я работаю. Кто будет сидеть с ребенком?

— Но разве твоя работа важнее ребенка?

— Я хочу жить за свой счет. И все. Некоторые женщины, как куклы, сидят при мужьях. Пользуют их. Разве это не проституция?

— Это взаимное пользование, — возразила Марина.

— Мне никто не нужен, и я ни от кого ничего не хочу.

— А женщина тебе нужна?

— Такая же самостоятельная, как я.

— Значит, ты — феминистка, — определила Марина.

— Но ведь ты тоже живешь как феминистка. Зарабатываешь своим трудом и не живешь на средства мужчин.

Марина никогда не рассматривала свою принадлежность музыке как заработок. Это был образ жизни. Она ТАК жила, а ей еще за это платили деньги.

Однако идея Барбары была ясна: не КАК заработать, а НЕ ЗАВИСЕТЬ.

Барбара стояла с кружкой пива — прямая, жесткая, непреклонная, как бетонная плита, — сама независимость, символ независимости.

— Я завтра иду на митинг, — сообщила Барбара. — Хочешь, пойдем вместе. А если не хочешь, можешь не ходить.

— Какой митинг?

— За права сексуальных меньшинств.

— А зачем митинговать? — спросила Марина. — Возьми свою подругу, иди с ней домой. Запритесь и делайте, что хотите. Зачем кому-то что-то доказывать? Личная жизнь никого не касается.

Барбара молчала, может быть, раздумывала.

— Я завтра хотела поискать лиловый костюм, — вспомнила Марина. — Ты сходишь со мной?

— Нет. Это не входит в мои обязанности.

— А если я тебя попрошу?

— Я не люблю ходить по магазинам. Ненавижу.

Ненависть к магазинам — мужская черта. Марина подумала, что в Барбаре избыток мужских гормонов.

— А давай так: сначала на митинг, потом по магазинам, — сообразила Марина.

— Ты торгуешься, — упрекнула Барбара.

— Я не знаю языка и хочу костюм. В этом дело. Я ищу выход.

К ним подошла блондинка неопределенного возраста, необычайно доброжелательная. Марину буквально окутало ее доброе расположение. Блондинка протянула руку и представилась:

— Люси. Я славист.

— Вот тебе и выход, — нашлась Барбара.

Барбару раздражало то, что подошла Люси и надо будет делить с ней Марину. Но радовало то, что завтра можно будет спихнуть русскую. Пусть сами едут и ищут свой лиловый костюм. Хотя вряд ли найдут.

Барбара входила в сексуальное меньшинство. Пусть сексуальное, но меньшинство.

Она чувствовала себя изгоем среди нормальных, обычных, привычных, и ощущение тяжести, иначести заставляло ее напрягаться. Напряжение вело к озлоблению. Состояние одиночества и агрессии стало привычным. Поэтому она не любила людей, и больше всего ей нравилось быть одной.

Марина в эти тонкости не вникала, просто видела перед собой то бетонную плиту, то волка в хорошем настроении, то в плохом. Глядя на Барбару, она училась, как НЕ НАДО СЕБЯ ВЕСТИ. И вместе с тем она ощущала своим глубинным нутром ее человеческую честность и чистоту. А неодинаковость со всеми ей шла. Без тараканов в мозгу Барбара была бы проще.

Утром Люси подъехала к гостинице на яркокрасном «рено», ровно в десять утра, как договорились. И Марина тоже вышла из отеля в десять утра. Марина была точна и требовала точности от других. Люси — скрупулезно точна и была рада встречать это в других. Они обрадовались друг другу, как родные.

Такие совпадения подсказывали Марине: твой это человек или нет. Если бы Марина вышла в десять и ждала полчаса, то за эти полчаса вынужденного временного провисания она возненавидела бы Люси и прокляла бы всю Францию. Заставлять ждать — это форма хамства или душевная глухота. Хамства Марина не заслужила, а душевную глухоту презирала. Но они совпадали. Значит, Люси — ее человек.

Марина села в машину, и они тут же тронулись с места.

— Я знать один бутик, pres а-ля мэзон.

Марина поняла половину сказанного.

Словарный запас у Люси был большой, но она не умела правильно соединять слова. Не знала падежей, предлогов. Употребляла глаголы только в инфинитиве, без спряжений. Но тем не менее все было понятно. Марина ее понимала и по ходу давала уроки русского языка.

— Я жить верх, — сообщила Люси.

— Я живу наверху, — поправила Марина.

— О! Да! — обрадовалась Люси, что означало «спасибо».

Город проехали быстро и свернули на дорогу, ведущую в горы. Дорога шла наверх, но не круто, а спокойно. Серпантином.

Стоял сентябрь. Бабье лето, золотая осень. Склон — пестрый от красок, горит золотом и багрянцем, густой зеленью. Марина подумала: сентябрь в пересчете на человеческую жизнь равняется примерно сорока пяти годам, когда плоды уже собраны. Женщина в сорок пять еще красива, еще не сбросила боевого оперения, еще горят глаза и кровь, но мало осталось впереди. Так и деревья: они еще горят теплыми и благородными красками, но скоро все облетит и выпадет первый снег. Потом второй.

Марина подумала: до сорока пяти — рукой подать. И как все сложится — неизвестно. Может быть, никак не сложится. Одна только скрипка, на том свете и на этом.

— Я жить в Париж, — сказала Люси. — Муж развод. Я купить дом верх, монтань.

Марина догадалась: Люси жила в Париже, потом развелась с мужем и купила дом в горах. А может быть, у нее два дома: в Париже и в горах. Как спросить? Никак. Какая разница...

— Когда развод? — спросила Марина. — Давно?

— Пять. — Люси показала ладонь с вытаращенными пальцами.

«Пять лет назад», — поняла Марина.

— А сколько вам сейчас?

— Пять пять. — Люси написала в воздухе 55.

Значит, они разошлись в пятьдесят. Остаться одной в таком возрасте — мало радости. Но у Люси лицо было ясным, голубоглазым, круглым, как лужайка под солнцем.

«Не страдает», — поняла Марина. Вспомнила свою тетку, мать сестры, которая в аналогичном случае страдала безмерно и дострадалась до инфаркта. А эта сидит себе: личико гладкое, глазки голубые, как незабудки. Может, она своего мужа терпеть не могла? Может, сама и бросила...

— Вы любили мужа? — уточнила Марина.

— О! Да! Много любить...

— Кто ушел: он или вы?

— Он! Он! Любить Вероник!

— Вероник молодая?

— О! Да! Тре жен е тре жоли. Формидабль!

Марина узнала слово «формидабль» — то есть потрясающая.

Значит, муж ушел к молодой и прекрасной Вероник. Тогда Люси все бросила:

прошлую жизнь, Париж, купила дом высоко в горах, подальше от людей. Как бы ушла в монастырь.

Машина остановилась возле маленького придорожного магазинчика. Марина подумала: в эти отдаленные точки почти никто не заходит, и здесь можно найти такое, чего нет нигде. Как говорила мама: черта в ступе.

Дрожа от радостного нетерпения, Марина вошла в лавочку. Но увы и ах… Лилового костюма не было в помине. Висели какие-то одежды, как в Москве на ярмарке «Коньково», турецкого производства. Даже хуже. Да и откуда в горах лиловый костюм? Такие вещи — в крупных городах, фирменных магазинах, в одном экземпляре. Жаль. И еще раз жаль.

Но все-таки Марина высмотрела черные джинсы и шерстяную кофту шоколадного цвета. На кофте были вышиты наивные цветочки и листики. Такое впечатление, что эту кофту связали местные крестьяне и они же вышили разноцветным гарусом.

Марина тут же натянула джинсы и кофту, а московскую одежду продавщица сложила в большой пакет.

— Тре жоли! Формидабль! — воскликнула Люси.

Марина поняла, что это одобрение.

Вышли к машине. Поехали дальше.

— Много красиво! Стиль Вероник!

— Ты любишь Вероник? — удивилась Марина.

— О! Да! Много любить. Вероник — коме анималь.

Марина знала, что анималь — животное. Значит, одно из двух. Вероник — неразвита, примитивна, как животное. Либо — естественна, как зверек. Безо всяких человеческих хитростей и приспособлений. Дитя природы.

— Жан-Франсуа и Вероник уезжать три года Йемен. Оставлять Зоя меня.

— Жан-Франсуа, это кто?

— Мари. Муж.

— А Зоя?

— Анфан. Ребенок. Так?

Значит, Вероник и Жан-Франсуа уезжали зачем-то в Йемен на три года и оставили Люси своего ребенка. Как на бабушку. Никакой ненависти. Одна разросшаяся семья.

У него нет ненависти — это понятно: он ушел к молодой, живет новую жизнь, испытывает новое счастье. А Люси... Почему она согласилась взять их ребенка и забыть о предательстве? Может быть, пытка одиночеством еще хуже? Быть нужной в любом качестве?

— У вас есть свои дети? — спросила Марина.

— Два. Большие. Жить Париж.

Могла бы взять собственных внуков.

Из кустов вышла собака и остановилась на дороге. Она была рыжая, крупная, неопределенной породы. Стояла, перегородив дорогу, и спокойно, без страха смотрела на приближающуюся машину.

Люси вынуждена была остановиться. Она, перегнувшись, открыла заднюю дверцу. Собака тут же запрыгнула на заднее сиденье и уселась с таким видом, как будто они с Люси договорились тут встретиться. В машине запахло мокрой собакой.

— Это твоя собака? — спросила Марина.

— Нет. Она теряться. Ждать помощь.

— Что же делать?

— Звонить телефон. Ждать хозяин, — спокойно объяснила Люси.

Марина посмотрела на собаку. На ее шее был кожаный ошейник, на ошейнике — медная табличка. На табличке, должно быть, все данные, включая телефон хозяев.

Собака дрожала от холода и стресса. Возможно, она потерялась давно — сутки или двое — и столько же не ела.

Собака посмотрела на Марину, как будто спросила: ну, что ждем? Поехали?

Машина тронулась вперед, к дому Люси.

Проехали церквушку. Еще вверх — и открылась плоская терраса с аккуратной зеленью. На ней — каменный дом с широкими крыльями. Приехали.

Люси первым делом выпустила собаку и тут же пошла звонить.

Потом быстро соорудила кастрюлю похлебки, нарвала туда ветчины. Поставила перед собакой. Собака опустила морду, живот ее судорожно ходил.

Марина ощутила глубокое удовлетворение, полноту бытия. Какое счастье — кормить голодное зависимое существо. В глазах Люси стояли виноватые слезы. Видимо, она чувствовала то же самое.

Центральная комната в доме была очень большой, около ста метров. Белые стены, ломаные пространства, живопись, низкая белая мебель. Такой интерьер Марина видела только в суперсовременных каталогах.

— Проект Франсуа, — объяснила Люси. — Франсуа архитектор.

Все ясно. Франсуа стер десять веков, даже одиннадцать. Оставив фасад древним, он перестроил всю внутренность дома, создав интерьер двадцать первого века.

Марина сначала растерялась внутри таких белых пустот. Потом быстро привыкла. А через пару часов уже не хотела ничего другого. Как будто срослась со свободой и чистотой. Это тебе не крюки для мутонов.

Люси сварила крепкий душистый кофе, что-то грела, ставила — все в мгновение, весело, вкусно. Особенно хорош был утиный паштет, который во Франции перетирают со сливочным маслом. И еще горный мед. Он благоухал на весь дом, перебивая кофейный дух.

Марина глубоко наслаждалась едой, тишиной, покоем, а главное — характером Люси. Бывают же такие люди: «О! Да!» Все им хорошо. Муж ушел — хорошо. Соперница — формидабль. Да еще и Зоя.

— Зоя — русское имя, — заметила Марина.

— Да! Вероник русские корни.

— Ты любишь Зою? — спросила Марина.

Люси даже не смогла сказать: «О! Да!» Замахала руками. Ее чувства были сильнее, чем любые слова.

— А она тебя?

— Всегда целовать…

Маленькая девочка обвивает шею и целует, обдавая земляничным запахом цветущего тельца. Влажное прикосновение ангела.

Раздался звонок.

Люси подошла, что-то проговорила. Положила трубку.

Марина хотела спросить: кто это? Но удержалась.

— Это Ксавье, — сказала Люси, будто прочитала мысли.

Марина хотела спросить: кто такой Ксавье? Но тоже удержалась.

— Мон ами… — объяснила Люси.

«Любовник», — догадалась Марина. Вот тебе и ответ на все вопросы, на все «О!» и «Да!».

Люси — не просто брошенка и не просто бабка. Она живет в любви и ласке, работает славистом в маленьком издательстве. У нее есть дело и личная жизнь — полноценное существование. Когда человек существует полноценно — его психика не деформирована.

— Ксавье живет в Париже?

— Но. Он бросать Париж и купить дом тут. Десять минут.

Марина сообразила: Ксавье бросил Париж и помчался следом, купил дом в десяти минутах ходьбы.

— А почему вы не взяли его сюда? Места много.

Марина обвела рукой просторную белую комнату.

— Но. Но. Но. — Люси категорически подняла ладонь. — Я хотеть один. Ксавье —

лыжи, гулять, приходить-уходить… Люси — один. Баста!

Все ясно. Люси хочет жить одна в своей скорлупе, а рядом с ней, как спутники вокруг планеты, — близкие люди: Жан-Франсуа, Вероник, Зоя, Ксавье, выросшие дети… Она всем дает себя по кусочку. Но не целиком. Целиком — никому.

Через час появился улыбающийся Ксавье. Не вытерпел, пришел посмотреть на русскую.

Ксавье — стройный, с длинными волосами и шелковым платком на шее, но видно, что за шестьдесят. Общая улыбчивость и слабость.

Марине показалось, что он хорошо поет. Тенором. У него был вид человека из хора. Было ясно: он любит Люси последней любовью, не мучает, — тихая пристань, — и тем неинтересен. Интересны те, кто мучает. Больше натяжения. Однако в шестьдесят натяжения вредны для здоровья. Поднимается давление. Можно умереть.

Ксавье поулыбался вставными зубами и куда-то удалился. Видимо, Люси поручила ему собаку.

За собакой приехали вечером. Хозяйка собаки — экстравагантная дама в пестром — показалась Марине пьяной вдрабадан. Собака тем не менее была счастлива и пыталась допрыгнуть хозяйке до лица. Потом они уехали.

— Ее надо лишить родительских прав, — сказала Марина.

— Она ее терять снова, — предположила Люси. — Бедный собак.

Дорога и склон утонули во мраке.

Решили не возвращаться в город, отложить поездку до утра.

Люси набрала номер и стала говорить по-французски. Потом передала трубку Марине.

— Барбара. Я предупредить, — сказала Люси.

— Это я, — сказала Марина в трубку.

Барбара отозвалась легким голосом, как всплеском. Она сообщила, что завтра они должны встретиться со школьниками старших классов. Люси привезет ее прямо к школе, она знает.

Голос Барбары звучал нежно, мелодично. Марина, работающая со звуком, очень ценила звук, даже если это голос по телефону.

Барбара произносила обычные слова, но казалось, что слова — только шифр, за которым кроется глубокий значительный смысл.

Люси принесла красное вино. Разлила в тяжелые хрустальные стаканы. Произнесла:

— Четыреста метр уровень моря.

— Четыреста метров над уровнем моря, — поправила Марина.

— Да. Так.

Марина выпила за высоту.

На столике стояла рамка из белого металла с портретом мужчины. Синие глаза как будто перерезали загорелое лицо.

— Жан-Франсуа, — отозвалась Люси.

Жан-Франсуа смотрел Марине прямо в глаза. Вот такого бы встретить на вершине горы или у подножия. Но у него Вероник, Люси. Все места заняты.

Значит, что ей остается? Женатый маэстро в Америке и лесбиянка в городке одиннадцатого века.

Вот и весь расклад.

Утром Марина проснулась как обычно, в восемь часов по-московски. Здесь это было шесть утра.

Она спустилась с лестницы, вышла через дверь, ведущую на заднюю сторону двора, и увидела горы, заросшие осенним лесом, и круг солнца над горами. Солнце было молодое, желтое, не уставшее. Планета. Холмы намекали — как формировалась земля, когда она была молодой, даже юной и только формировалась.

Воздух казался жидким минералом и вливался в легкие сам по себе. Его не надо было вдыхать. А если вдыхать, то слегка. Цветы пахли настойчиво, даже навязчиво, заманивая пчел. Все напоено ароматом, свежестью — вот уж действительно, раскинь руки и лети. Воздушные потоки не дадут упасть.

Марина подумала: если бы с ней была скрипка, она сейчас вскинула бы ее к щеке и заиграла мелодию, которую никто не писал, — она изливалась бы сама. А горы бы слушали. И цветы, и пчелы — и все бы слилось в один звук — время и пространство.

Марина раскинула руки и проговорила:

— Я клянусь тебе, моя жизнь…

В чем? Она и сама не знала.

Люси ждала почту. Через час на маленькой желтой машине подъехал юркий почтальон и передал Люси большой конверт из издательства. Люси расписалась на каком-то листке. Почтальон, уходя, кивнул Марине. Марина кивнула в ответ. Они не были знакомы, но здесь, в горах, это не имело никакого значения. Все условности городской жизни здесь были лишними. Действовали космические масштабы: планета Солнце и планета Земля. Человек и человек.

Красный «рено» вез Марину обратно.

Люси указала в сторону дома, стоящего на склоне. Дом никак не относился к одиннадцатому веку. Скорее к двадцать первому. Дом будущего. Вневременной инопланетный дом. Были видны желтые медные трубы, идущие вдоль дома. Все техническое обеспечение не спрятано, а, наоборот, демонстрировалось и служило дизайном. Это в самом деле выглядело неожиданно, дерзко, талантливо. Как если бы женщина явилась в декольте, но демонстрировала не грудь, а ягодицы.

— Дом Франсуа, — объяснила Люси. — Он купить земля и строить. Рядом с я.

Утренние лучи прорезали холмы. Что-то высвечивалось, что-то оставалось в тени.

«Интересно… — подумала Марина. — Совсем не по-русски. Вернее, не по-советски. Совки — это когда все ненавидят всех. Старая семья порывает с отцом-предателем, но и победившая жена тоже ненавидит старую,

находя в ней бросовые качества и тем самым
оправдывая свой грех разлучницы».

А здесь — просто разросшаяся семья.
Жан-Франсуа любит Вероник как женщину.
Но он 25 лет прожил с Люси, врос в нее и не
может без нее.

Барбара стояла возле школы в лиловом костюме. Как будто дразнила. Издалека костюм
показался Марине еще прекраснее. Она поняла, что купит его. Или отберет. А если по-
надобится — украдет. Марина умела хотеть
и добиваться желаемого. Так было с музыкой.
Так было с мужьями.

Увидев Марину, Барбара засветилась, как
будто в ней включили дополнительное освеще-
ние. Марина тоже обрадовалась, но это была
реакция на чужую радость. Ей нравилось нравиться. Она привыкла нравиться и поражать.

Барбара обняла Марину и прижала. От
нее ничем не пахло. Видимо, Барбара не при-
знавала парфюмерию. Только гигиену. Мужская черта. Должно быть, Барбара исполняет
роль мужчины в лесбийской паре.

В Марининой голове мягко проплыла
мысль: «А как это у них происходит?» Ей
было это любопытно. Но дальше любопыт-
ства дело не шло. Барбара ей не нравилась.
Слишком категорична. А категоричность —
это отсутствие гибкости, дипломатии и в конечном счете — отсутствие ума.

В Барбаре не было ничего женского, но
и мужского тоже не было. От нее не исходил
пол. Просто существо. Такое же впечатление

на Марину производил Майкл Джексон: не парень и не девушка. Существо, созданное для того, чтобы безупречно двигаться. А Барбара — чтобы синхронно переводить, всех ненавидеть и мечтать о любви в своем понимании.

— Ты купила костюм? — спросила Барбара. Помнила, значит.

— Нет, — ответила Марина. — Но куплю.

Они прошли в школьный зал. Там уже собрались дети.

Школа была современной, построенной из блоков. И дети тоже современные, веселые, с примочками: у кого косичка свисает с виска, у кого голова выбрита квадратами.

Марина видела, что эти дети ничем не отличаются от московских старших школьников. Книг не читают, про Чайковского не слышали, про Ельцина тоже. Только компьютер и секс.

Марина подумала вдруг: неужели книги и симфоническая музыка не понадобятся следующему поколению? Только виртуальная реальность...

Дети сидели за столами, выжидали.

Воспитательница — элегантная, сосредоточенная, никакой халтуры. Будет халтура — потеряет работу. В городе рабочих мест почти нет, и потерять работу — значит потерять средства к существованию, а заодно и статус. Воспитательница сидела с прямой спиной, зорко сторожила свой статус.

Барбара сидела в заднем ряду, за спинами учеников — рисовалась благородным лиловым контуром на фоне стены.

Марина решила сыграть им Глюка — беспроигрышную тему любви Орфея и Эвридики. Она «настроила свое сердце на любовь» и понеслась вместе с мелодией.

Дети замолчали из вежливости. Потом кто-то послал кому-то записочку. Кто-то сдерживал смех. Когда нельзя смеяться, бывает особенно смешно. Но кто-то — один или два — понесся вместе с музыкой, вместе с Орфеем.

Воспитательница стреляла глазами, строго следя за дисциплиной. Она не могла полностью отвлечься на музыку. Или не умела.

Марина всегда стремилась подчинить аудиторию. Но эта аудитория была не в ее власти. Поэтому она играла только себе и Барбаре. А остальные — как хотят.

Барбара смотрела перед собой в никуда. Ее лицо стало беспомощным и нежным. Нежная кожа, как лепесток тюльпана. Синие глаза с хрустальным блеском. Золотые волосы, как спелая рожь. И вся она — большая, чистая и горячая — как пшеничное поле под солнцем.

Барбара на глазах превращалась в красавицу, больше чем в красавицу. Сама любовь и нежность. Вот такую Марину-Эвридику она готова была любить с не меньшей силой, чем Орфей. И спуститься с ней в ад или поехать в Москву, что для западного человека — одно и то же.

Марина объединяла в себе дух и плоть. Бога и Человека. То, что Барбара искала и не могла найти ни в ком.

Когда Марина опустила смычок, Барбара ее уже любила. И, как это бывает у лесбиянок, — сразу и навсегда.

Барбара была гордым человеком и не хотела обнаружить свою зависимость. И только сказала, когда они вышли из школы:

— Ну ладно, пойдем искать твой лиловый костюм...

Городок был маленький, поэтому удалось заглянуть почти во все магазины. Лилового костюма не было нигде. Где-то он, возможно, и висел, но поди знай где.

Марина отметила: на Западе всегда так. Все есть, а того, что тебе надо, — нет. К тому же на Западе постоянно меняется мода на цвет и крой. То, что было модно год назад, сейчас уже не производят.

Устав, как лошади, зашли в кафе.

Была середина дня. Марина хотела есть. Выступление, погоня за костюмом взяли много энергии. Требовалась еда на ее восстановление.

Заказали гуся с капустой.

Гусь как гусь, но капуста — фиолетовая, с добавлением меда, каких-то приправ... Марина отправила в рот первую порцию и закрыла глаза от наслаждения.

— Ты слишком серьезно относишься к еде, — заметила Барбара.

— Я ко всему отношусь серьезно, — отозвалась Марина, и это было правдой.

После гуся принесли десерт: пирог с яблоками под ванильной подливой. Для того чтобы приготовить такое дома, надо потратить полдня.

— Ну что, была на демонстрации? — поинтересовалась Марина.

— Народ не собрался.

— И что ты делала?

— Мы дискутировали возле магазина.

Марина заподозрила, что дискуссии тоже не было. Народ шел мимо, а Барбара и еще несколько невропаток что-то выкрикивали в толпу. Марина решила промолчать, не соваться в святая святых.

— Можно мне померить твой лиловый костюм?

— Прямо здесь? — удивилась Барбара.

— Нет, конечно. Можно зайти к тебе или ко мне.

Отправились к Барбаре, поскольку это было ближе.

«Отдаст, — думала по дороге Марина. — Надо будет расплачиваться. Хорошо бы деньгами...»

Квартира Барбары — из четырех комнат, похожих на кельи. Каменные стены, маленькие окна. Но много цветов в кадках и горшках. Стильная низкая мебель.

Барбара поставила на стол коньяк. Марина заметила, что коньяк грузинский.

— Откуда это у тебя? — удивилась Марина.

— Грузины приезжали на фестиваль в прошлом году.

Марина поразилась, что коньяк стоит у нее в течение года. Значит, пила раз в месяц по рюмочке. Экономила.

— Снимай костюм, — напомнила Марина.

Барбара стала стаскивать через голову. Марина обратила внимание, что ее подмышки не побриты. Курчавились рыжие волосы.

— А почему ты не бреешь подмышки? — поинтересовалась Марина.

— Зачем? Природа сделала так, с волосами. Значит, волосы зачем-то нужны... Я привезла из Исраэля специальную мазь. Она убивает микробы, но не блокирует потоотделения. Потеть полезно... Уходят шлаки, организм очищается...

Барбара осталась в лифчике и трусах-бикини. У нее была тяжеловатая и крепкая фигура Венеры Милосской. Но сегодня такая фигура не в моде. Модно отсутствие плоти, а не присутствие ее. Единственно, что было красиво по-настоящему, — это запястья и лодыжки. Тонкие, изящные, породистые, как у королевы.

Марина ушла в ванную комнату и надела там костюм. Он как-то сразу обхватил ее плечи, лег на бедра. Обнял, как друг. Это был ЕЕ костюм — идучий и очень удобный. В таких вещах хорошо выглядишь, а главное — уверенно. Знаешь, что ты в одном экземпляре и лучше всех.

Марина вышла из ванной комнаты. Барбара оценивающе посмотрела и сказала:

— Ты должна купить себе такой же. В Москве.

— Я куплю его у тебя.

— Нет!

— Да!

— Но это мой костюм! — запротестовала Барбара.

— Будет мой. Я заплачу тебе столько, сколько он стоил новым.

— Но я не хочу!

Марина подошла к ней и положила обе руки ей на плечи.

— Ты действуешь как проститутка, — заметила Барбара.

— Проститутки тоже люди. К тому же я ничего не теряю. Только приобретаю.

— Что приобретаешь?

— Новый опыт и костюм.

— Ты цинична, — заметила Барбара.

— Ну и что? Я же тебе нравлюсь. Разве нет?

Барбара помолчала, потом сказала тихо:

— Я хочу тебя.

— В обмен на костюм?

— Ты торгуешься... — заметила Барбара.

— А что в этом плохого?

— Любовь — это духовное, а костюм — материальное. Зачем смешивать духовное и материальное?

Все имеет свои места. Все разложено по полкам. Немецкая ментальность. Русские — другие. Они могут отдать последнюю рубашку и ничего не захотеть взамен. Широкий жест необходим для подпитки души. Душа питается от доброты, от безоглядности.

— Материальное — это тоже духовное, — сказала Марина.

Барбара смотрела на нее не отрываясь.

— Не будем больше дискутировать...

Легли на кровать.

Барбара нависла над Мариной и стала говорить по-немецки. Марина уловила «их либе…». Значит, она говорила слова любви.

Марина закрыла глаза. В голове мягко проплыло: «Какой ужас!» Она, мечтавшая о любви, ждущая любовь, оказалась с лесбиянкой. Гримаса судьбы. Дорога в тупик. И если она пойдет по ней, то признает этот тупик.

Она представила себе лицо Маэстро при этой сцене. У него от удивления глаза бы вылезли из орбит и стали как колеса. А отец… Он просто ничего бы не понял.

Барбара стала целовать ее грудь. Все тело напряглось и зазвенело от желания. Нет!

Марина резко встала. Подошла к столу. Налила коньяк. Пригубила. Держала во рту. Коньяк обжигал слизистую. Марина не знала, проглотить или выплюнуть.

Вышла в кухню, выплюнула. Сполоснула рот. Не пошло.

Марина оделась в свои московские тряпки. После костюма они казались ей цыганским хламом. Но черт с ним, с костюмом.

Барбара стояла у нее за спиной.

— Ты меня выплюнула, как коньяк, — сказала она.

— Не обижайся.

Марина подошла и обняла Барбару, без всякой примеси секса, просто как подругу. Барбара по-прежнему ничем не пахла — ни плохим, ни хорошим, как пришелец с другой планеты.

— Не обижайся, — повторила Марина. — Здесь никто не виноват.

Барбара тихо плакала.

Ей было тридцать три года, и никто ни разу не разделил ее любовь. Хотела ухватиться за русскую, но и та выплюнула ее, как грузинский коньяк.

Они стояли обнявшись — такие чужие, но одинаково одинокие, как два обломка затонувшей лодки.

Вечером пришли гости — пара лесбиянок. Подружки Барбары. Одна — лет пятидесяти, милая, домашняя, полнеющая.

«Шла бы домой внуков нянчить», — подумала Марина. Хотя какие внуки у лесбиянок.

Вторая — молодая, не старше тридцати. Спокойная, скромная, с безукоризненной точеной фигурой.

«Такая фигура пропадает», — подумала Марина.

Гости принесли пирог к чаю. Превосходный, с живыми абрикосами.

Барбара заварила жасминовый чай.

Сначала сидели молча. Рассматривали друг друга. Марина видела, что эта парочка ее оценивает: годится ли она в их ряды...

Марина смущалась, чувствовала себя не в своей тарелке. Она — другая. И она не хочет в их ряды. Никто никого не хуже. Но пусть все остается как есть. Они — у себя. Она — у себя.

Постепенно разговорились.

— А вы когда впервые влюбились в женщину? — спросила Марина у молодой.

— В детском саду, — легко ответила молодая. — Я влюбилась в воспитательницу.

— А вы давно вместе?

— Четыре года, — ответила старшая.

— Это много или мало? — не поняла Марина.

— Это много и мало, — ответила молодая. — Мы хотим остаться вместе навсегда.

— А дети? — спросила Марина.

— Мы думали об этом, — мягко ответила старшая. — Криста может родить ребенка от мужчины. А потом мы вместе его воспитаем.

— С мужчиной? — не поняла Марина.

— Нет. Зачем? Друг с другом.

Барбара синхронно переводила не только текст, но и интонацию. И Марине казалось, что разговор происходит напрямую, без перевода.

— Хорошо бы девочку, — сказала Криста. — Но можно и мальчика!

— И кем же он вырастет среди вас?

— Это он сам решит, когда вырастет. А в детстве мы отдадим ему всю свою любовь и заботу.

— А разве обязательно рожать? — вмешалась Барбара.

— Функция природы, — напомнила Марина.

— Женщину рассматривают как самку. А можно миновать эту функцию. Другие пусть выполняют. Женщин много.

Марина рассматривала сине-белую чашку. В самом деле: принято считать, что женщина должна продолжать род. А если она играет как никто. Если это ее функция — играть как никто.

— А в старости? — спросила Марина. — Старость — это большой кусок жизни: 20 и 30 лет. Как вы собираетесь его провести?

Это был ее вопрос и к себе самой.

— Мы купим коммунальный дом, — ответила Барбара за всех. — Один на троих. Или на четверых. У каждой будет своя квартира. Мы будем вместе, сколько захотим. И отдельно. Мы будем собираться на общий ужин. Вместе ездить отдыхать...

Вместе и врозь. То же самое выбрала Люси. Вернее так: жизнь подсунула.

А может быть: вместе и врозь — это единственно разумная форма жизни в конце двадцатого века. И она напрасно ищет полного слияния и, значит, — полной взаимности.

— Коммунальный дом — это наша мечта, — созналась Барбара.

Коммунальный дом. Коммуна. Но не та, что была в Совке, «на двадцать восемь комнаток всего одна уборная»... А та коммуна, которую все хотели, но никто не достиг. Только лесбиянки.

— А мне можно будет купить у вас квартиру? — спросила Марина.

Они улыбнулись улыбкой заговорщиков. Дескать, будешь наша — возьмем. Надо было вступить в их орден.

...Лесбийский мир, лесбийская культура, все это не вчера родилось, а еще при римлянах, которые основали этот город десять веков назад. Лесбос существует тысячелетия — чистота изнутри и снаружи, изящество, женская грудь, салфеточки, притирочки, никаких микробов, воспалений, не говоря уж о смертоносном СПИДе. Все стерильно, с распущенными шелковыми волосами, глубокими беседами, никто никого не обижает. Никакого скотства.

— Поедем танцевать, — предложила Криста.

Она была молодая, и ей хотелось двигаться.

В клубе за столиками сидели голубые и розовые. Это был специальный клуб по интересам.

Среди голубых — несколько пожилых с крашеными волосами. Большинство — молодые красавцы. Они как будто впитали в себя лучшее из обоих полов.

Лесбиянки были двух видов: быкообразные, с короткими шеями и широкими спинами. И другие — элегантные, пластичные, как кошки.

Играла музыка. Официанты кокетливо подавали напитки. Пузатый и женственный бармен потряхивал коктейль. Обстановка всеобщего праздника жизни.

В центре зала танцевали мужчины с мужчинами, женщины с женщинами. Они знакомились и приглядывались.

Барбара нашла столик подальше от музыки.

Марина заказала красное вино. Барбара — пиво. Криста — воду. Каждый платил сам за себя. И все было в одной цене. Вино и вода стоили одинаково.

В Марине зрел главный вопрос, и она на него решилась:

— Мужчина может ласкать так же, как это делаете вы. К тому же у него есть... фаллос. Почему вы игнорируете мужчин?

Троица вздохнула. Это был вопрос дилетанта.

— Ты ничего не понимаешь, — спокойно разъяснила Барбара.

— А что понимать? — уточнила Марина.

— Надо БЫТЬ. Тогда поймешь.

Кристу пригласила лесбиянка из кошек. Они устремились в центр зала, навстречу ритмичным звукам. Марина не считала это музыкой. Так... Обслуга нижнего этажа.

— Женщина гораздо больше может дать другой женщине, — ответила на ее вопрос Барбара.

— Чего?

— Взаимной поддержки. Помощи. Мужчина грабит, а женщина собирает.

— Тогда почему ты не отдала мне лиловый костюм? — спросила Марина.

— Я не хочу, чтобы ты эксплуатировала мои чувства, — отрезала Барбара.

Марина вспомнила, как учитель эксплуатировал ее чувства. А она — его. И в этом было СЧАСТЬЕ. И в результате она стала НАСТОЯЩИМ музыкантом.

А у Барбары все кучками: твое, мое...

В зале появилась пожилая пара: муж и жена. Видимо, не поняли, куда пришли. Их пустили. Демократия. Каждый имеет право отдыхать, где хочет.

Марину пригласила быкообразная. Она была молодая, толстая, в короткой юбке.

Марина вышла в центр зала. Музыка заводила и подхлестывала. Марина танцевала лихо и весело. И вдруг, в какую-то секунду, она увидела себя со стороны, танцующую среди голубых и розовых. После своей главной, великой любви, после стольких ошибок и надежд — танец среди голубых и розовых, как танец в аду. Танец-наказание.

А Барбара смотрела и ревновала, и углы ее губ презрительно смотрели вниз.

В аэропорту они сдали вещи.

Надо было идти через паспортный контроль. Пересекать границу.

Барбара смотрела в пол. Страдала. Что-то ее мучило.

— Я хочу тебе кое-что предложить, — проговорила Барбара.

«Лиловый костюм», — с надеждой подумала Марина.

— Выходи за меня замуж! — Барбара вскинула глаза. Они были синие, страдающие, с осколками стекла.

Марина так давно ждала серьезного предложения. И вот дождалась. От Барбары.

— А кем ты будешь: мужем или женой? — спокойно спросила Марина.

— А какая разница? — растерялась Барбара.

— Ну как же… Если ты жена, то ты для меня старая. Тебе уже 33 года. Я в свои годы могу найти и помоложе. А если ты муж, то ты для меня бедный. И скупой.

— Почему бедный? У меня есть компьютер...

Марина не поняла: продолжает ли она в ее тоне или отвечает серьезно.

Барбара подняла лицо. По щекам шли слезы.

— Никогда не плачь при посторонних, — посоветовала Марина.

— Почему?

— Потому что слезы — это давление. Ты на меня давишь. А я хочу быть независимой. Как феминистка.

Барбара плакала молча. Оказывается, нельзя быть независимой, даже если откажешься от мужчин и будешь жить за свой счет. Невозможно не зависеть от двух категорий: от любви и от смерти.

— Ладно. — Марина обняла свою инопланетянку, лунную девушку. — Все еще будет: и у тебя, и у меня. Еще полюбим... И еще помрем.

Самолет оторвался от земли и стал набирать высоту. Внизу оставались чужая земля и плачущая женщина.

Прощай, Барбара, — противная и прекрасная, неуязвимая и ранимая, сильная и беспомощная, как ребенок.

Прощай, Люси, и четыреста метров над уровнем моря.

Самолет пробивал облака. Марина держала на коленях футляр со скрипкой. Держала и держалась, как Антей за Землю. Вот что давало силы, а остальное — как получится. Остальное — по дороге.

Она примет свою дорогу. Или будет желать невозможного, кто знает... Хотя, может, кто-то и знает...

маша и феликс

Феликс был очень веселый, как молодой пес. В нем жила постоянная готовность к смеху, к авантюрам, к греховному поступку, к подлости и подвигу одновременно. В зависимости от того — кто позовет. Позовет идея — пойдет на баррикады. Позовут деньги — пойдет торговать.

Мы познакомились на семинаре, который назывался «Молодые таланты». Я считалась талантом в сценарном деле, а он — в режиссуре. Начинающий режиссер из Одессы.

Феликс подошел ко мне в первый день и предложил свои услуги, а именно: сходить на базар, снять кино по моему сценарию, жениться, сделать ребенка. Однако — не все сразу. Надо с чего-то начинать. И Феликс начал с главного.

Семинар размещался в большом доме отдыха. Вечером, когда я вернулась с просмотра в номер, — увидела в своей кровати тело. Я зажгла свет и обнаружила Феликса. Его одежда валялась на полу. Одеяло было натянуто до подбородка. В глазах стояло ожидание с примесью страха: что будет?

У меня было два варианта поведения:

1. Поднять крик типа «да как ты смел»…

2. Выключить свет, раздеться и юркнуть в объятия Феликса — веселого и красивого. Нам было по двадцать пять лет. Оба — любопытны к жизни, оба не свободны, но в какую-то минуту об этом можно и забыть. Просто выпить вина любви. Опьянеть, а потом протрезветь и жить дальше с хмельным воспоминанием. Или без него.

Я выбрала третий вариант.

Я сказала:

— Значит, так. Я сейчас выйду из номера, а через десять минут вернусь. И чтобы тебя здесь не было. Понял? Иначе я приведу Резника.

Резник — руководитель семинара. И запоминаться в таком качестве Феликсу было бы невыгодно. Феликс должен был просверкнуть как молодое дарование, а не провинциальный Казанова.

Я гордо удалилась из номера. Вышла на улицу.

Ко мне подошла киновед Валя Нестерова — тоже молодое дарование. Она приехала из Одессы, как и Феликс. Они хорошо знали друг друга.

— Что ты тут делаешь? — удивилась Валя.

— Ко мне в номер залезли, — поделилась я.

— Воры? — испугалась Валя.

— Да нет. Феликс.

— Зачем? — не поняла Валя.

— За счастьем.

— Вот жопа...

Валя считала Феликса проходимцем, одесской фарцой. И влезть в мой номер — полное нарушение табели о рангах, как если бы конюх влез в спальню королевы. Дело конюха — сидеть на конюшне.

Постояв для верности двадцать минут, я вернулась в номер и легла спать. От подушки крепко пахло табаком. Я любила этот запах, он не помешал мне заснуть.

В середине ночи я услышала: кто-то скребется. Я мистически боюсь крыс, и меня буквально подбросило от страха, смешанного с брезгливостью.

В окне торчала голова Феликса. Я вздохнула с облегчением. Все-таки Феликс — не крыса. Лучше.

Я подошла к окну. Открыла раму. Феликс смотрел молча. У него было очень хорошее выражение — умное и мужское.

— Иди спать, — посоветовала я.

— Но почему? — спокойно спросил он. — Ты не пожалеешь. Я такой потрясающий...

— Пусть достанется другим.

— Кому? — не понял он.

— Кому этого захочется...

Мы говорили в таком тоне, как будто речь шла о гусином паштете.

Он ни разу не сказал мне, что я ему нравлюсь. Видимо, это разумелось само собой.

— Иди, иди… — Я закрыла раму, легла спать.

Феликс исчез и больше не возникал. Видимо, тоже устал.

На другой день мы встретились как ни в чем не бывало. Он не извинился. Я не напоминала. Как поется в песне: «Вот и все, что было…»

Семь дней семинара прогрохотали, как железнодорожный состав. В этом поезде было все: движение, ожидание, вагон-ресторан и приближение к цели. Наша цель — жизнь в искусстве, а уже к этому прилагалось все остальное.

После семинара все разъехались по домам. Я в Москву, в семью. Феликс — в Одессу. Наши жизни — как мелодии в специфическом оркестре, каждая звучала самостоятельно. Но иногда пересекались ненадолго. Он не влиял на меня. Но он — БЫЛ. Существовал во времени и пространстве.

Сейчас он в Германии, в белых штанах. А родился в Одессе, сразу после войны. Может быть, не сразу, году в пятидесятом, у одной очень красивой артисточки. Красоты в ней было больше, чем ума. И много больше, чем таланта. Если честно — таланта ни на грош, просто белые кудряшки, высокая грудь, тонкая талия и синие глазки, доверчиво распахнутые всему миру.

Есть такое выражение: пошлость молодости. Душа заключена в совершенную форму, как в красивую коробочку, и обладательница такой коробочки постоянно этому рада. Улыбка не сходит с лица. Если что не так — капризничает, машет ручками. Если так — хохочет и тоже машет ручками. Постоянно играет. В молодости так легко быть счастливой. И она счастлива. В нее влюбляется молодой еврей. В Одессе их много, но этот — широкоплечий и радостный — лучше всех.

Сталин когда-то выделил евреям Биробиджан. Может быть, это был Ленин. Но дело не в том — КТО, а в том — ГДЕ. Биробиджан — у черта на рогах, там холодно, темно и неуютно. Евреи — народ южный, теплолюбивый. Они расселились в основном в Киеве и Одессе — жемчужине у моря. Можно понять.

Принято считать, что евреи — хорошие семьянины. В основном это так. Но наш еврей оказался исключением из правила. Он родил мальчика Феликса и смылся довольно быстро. Куда? К кому? История об этом умалчивает. Скрылся — и все.

Актриса — ее звали Валя — и маленький Феликс остались вдвоем. Без средств к существованию. Единственное, что было у Вали, — сыночек. А у Феликса — мама. И это все. Не мало. Но если больше ничего — ни денег, ни профессии...

С Вали быстро сошла пошлость молодости, а потом и молодость сошла, и тоже быстро. Есть женщины, которые умеют выживать, умеют бороться — как та лягушка, которая упала в сметану и сбила масло. Не утонула.

Валя была из тех, которые тонут. Идут на дно. Она умела быть милой, нежной и любящей. Не мало. Но мало.

Они с Феликсом жили в шестиметровой комнате, научились голодать. Когда очень хотелось есть — ложились спать.

У Вали время от времени появлялась работа — сопровождать лекции. Например, если тема лекции: «Чехов и борьба с пошлостью» — она читала монолог Нины Заречной или монолог Сони «Ах, как жаль, что я некрасива». Однако Валя не забывала про свои глазки и кудряшки, и Соня в ее исполнении получалась довольно жеманная. Но поскольку на лекции приходило не больше десяти старух, то все это не имело никакого значения: ни Чехов, ни его борьба с пошлостью, ни актриса в стареньком штапельном платье.

Валя получала за эту работу очень маленькие деньги. Их хватало на три дня в неделю. Остальные дни полагались на волю Божию. Бог даст день, даст пищу.

Один трудный день сменял другой. Жизнь двигалась медленно и мучительно, но каким-то образом проскочила быстро.

Все кончилось для Вали инсультом. Феликсу тогда шел двадцать первый год. Он досрочно вернулся из армии и сидел возле парализованной матери. Она стала его ребенком. Феликс ее мыл, кормил и любил безмерно. Валя была молода для смерти, ей было жаль себя, но еще больше жаль Феликса, и она хотела умереть, чтобы освободить его для жизни. Но Феликс не хотел ничего для себя — только бы она жила, дышала и смотрела. Даже такая она была ему дороже всех мирских радостей.

Они смотрели друг на друга — глаза в глаза. Валя отмечала, что Феликс вырос очень красивым, две крови смешались в нем в нужных пропорциях. Он был черноволосым — в отца и синеглазым — в мать. Он был способным — в отца и добрым — в мать. И не важно, что его отец когда-то сбежал. Главное он все-таки сделал — оставил сына.

Этот незримый отец постоянно присутствовал в жизни Феликса. Бросив его физически, он оставил в наследство отчество «Израйлевич», и это отчество сильно осложняло Феликсу жизнь. Почему бы папаше не сбежать вместе с отчеством. Феликс ненавидел отца — не за отчество, конечно. А за свою маму. Она должна была прожить другую жизнь.

Маше исполнилось семнадцать лет. Она жила в доме напротив на первом этаже и постоянно торчала в окне, следила за Феликсом своими глазами, темными, как переспелая вишня. Ждала, когда он появится. И Феликс появлялся, и шел под ее взглядом красуясь, особой походкой хищника. Он знал, что она смотрит, коротко кидал свой взгляд в ее окно. Они натыкались глазами друг на друга, Маша цепенела, будто получала разряд тока, и в панике бросала занавеску. Занавеска отсекала ее от Феликса.

Этих нескольких секунд хватало Маше на целый день. Она ходила под напряжением. И чтобы как-то разрядиться, доставала контрабас и играла.

Маша училась на первом курсе музыкального училища. Она хотела поступать на отделение фортепьяно или в крайнем случае скрипки, но все места оказались заняты. Был высокий конкурс, много блатных. Маша оставалась за бортом музыки. Чтобы не терять времени, поступила в класс контрабаса — там был недобор. Маша надеялась, что со временем перейдет на скрипку. Но потом передумала. Контрабас ей понравился — устойчивостью и мощностью звука. Одно дело упереть инструмент в землю, другое дело держать вздернутым на весу. Маша была человеком основательным. Она полюбила контрабас, делала успехи и участвовала во всех городских конкурсах.

Феликс и Маша были из одного сословия. Машины родители — из простых, — так это называется. И мама Феликса, хоть и актриса, — тоже не из сложных, полудеревенская девушка. И не полети она, как бабочка, на желтый свет актерской жизни — все бы сложилось более логично.

Умирать в сорок с небольшим — неестественно, душа не готова к уходу. Это было так мучительно. Настоящий ад. Душа и плоть сцепились воедино, кричали: «Нет!»

Среди ада Феликс подошел к Маше. Спросил:

— Ты что сегодня делаешь?

— Иду на день рождения, — растерялась Маша.

— Когда?

— В семь. А что?

— Возьми меня с собой.

Маша раскрыла рот для ответа, но Феликс ее опередил:

— Я зайду за тобой в полседьмого.

Феликсу надо было выжить. Он ухватился за Машу. Они не были знакомы. Вернее, они не были представлены друг другу. Но они были друг другу даны.

В половине седьмого Феликс зашел за Машей. В квартире, кроме нее, никого не было. Феликс решил воспользоваться этим обстоятельством — он никогда не был застенчивым. Он стал целовать Машу, она растерялась, обомлела. Не встретив отпора, Феликс пошел до конца — зачем останавливаться на полпути, и он овладел ею — на ходу, стоя в проеме между дверей.

У Маши не было никакого опыта. Она решила: может, так и надо? Она не постояла за себя, она ему доверилась.

Когда все закончилось, Феликс застегнул свои брюки, одернул на ней платье, и они отправились на день рождения.

На праздничном столе было много винегрета, холодца, фаршированных перцев, рыбы под маринадом. Блюда — дешевые, но очень вкусные. На них шло мало денег, но много труда.

Феликс ел и пил самогон, который все называли «рудяковка» по имени хозяина дома.

Феликс хмелел и поглядывал на Машу, которая сидела возле него с веточкой акации в волосах. Эту веточку он сам сорвал с дерева — как бы отметил событие: потерю невинности.

Маша ничего не ела и не пила. Она сидела бледная, растерянная, с цветком в волосах. А Феликс смотрел на нее и понимал, что эта ее покорность и жертвенность не могут быть использованы им. Поматросил и бросил — не пройдет, хоть он и служил во флоте и именно так и поступал в подобных случаях.

Если бы Маша сопротивлялась, заманивала его в свою паутину, уточняла бы перспективы, требовала клятв и уверений — он меньше бы отвечал за нее. Это была бы война равных хищников. А так — черноглазая лань с веточкой в волосах. И все.

Мама умирала долго. Ад все продолжался.

Маша делала все, что было нужно. И ей не жаль было ни одной минуты, потраченной на маму Феликса. Маша любила Феликса и готова была заплатить за свое счастье чем угодно: бессонными ночами, физической работой. И никогда, даже наедине с собой, она не желала Вале скорейшего ухода. Наоборот. Хоть на день, но продлить эту мучительную, уже никому не нужную жизнь.

Валя умерла. И Феликс умер вместе с ней. Окаменел.

Жизнь и смерть — это два конца одной палки. В Маше зародилась новая жизнь. Она оказалась беременна. Ребенок — от Феликса, а значит, и от Вали. Но Феликсу это виделось так некстати. Впереди — институт, студенческая пора, никаких денег, да еще и орущий ребенок в придачу.

Но что же делать, если ребенок уже в ней. Он же не сам туда запрыгнул.

— Если ты сделаешь аборт, я на тебе женюсь, — пообещал Феликс.

Ребенка было жалко, но Маша подчинилась. Она привыкла подчиняться беспрекословно.

Феликс женился, как обещал. Сделал одолжение. Услуга за услугу. Ее услуга — аборт. Его услуга — законный брак, потеря свободы в молодые годы.

Но Маша не заостряла внимания на таких мелочах, как свое здоровье. Для нее главное — Феликс. Вот он рядом, можно на него смотреть сколько угодно, до рези в глазах. Можно его понюхать, вдыхать, только что не откусывать по кусочку. Можно спать в обнимку и даже во сне, в подсознании быть счастливой до краев, когда больше ничего не хочешь. И ничего не надо, он был ей дан, и она приняла его с благодарностью.

Когда кто-то один так сильно любит, то другому только остается подчиниться. И Феликс подчинился. С большим удовольствием, между прочим...

Через год Феликс поступил в Московский институт кинематографии, и они переехали жить в Москву. Маша перевелась в училище имени Гнесиных, и ее, как это ни странно, — приняли.

Сняли комнату в центре Москвы, на Арбате. До института кинематографии далеко, а до училища близко. С ними в квартире поселился еще один студент — Миша, художник по костюмам. Совершенно сумасшедший. У него была мания преследования, и он постоянно уходил из дома. Возвращаясь, спрашивал: приходили за ним или нет?

Стипендии не хватало. Машины родители присылали поездом из Одессы домашнюю колбасу, лук и перцы.

Жили впроголодь, но Феликс привык голодать. Когда очень хотелось есть, он выпивал поллитровую банку воды и голод как-то размывался.

Художник Миша — Божий человек. Рисовал в основном костюмы начала века. Особенно ему нравились шинели. Когда Маша видела на его листах удлиненных красноармейцев в удлиненных шинелях — понимала, что это в самом деле красиво, но не имеет ничего общего с реальной жизнью. В жизни — приземистые пыльные солдаты, плохо кормленные и во вшах.

Миша — эстет. Он был нежен, женственно красив, имел какие-то претензии к своему носу. Пошел и сделал пластическую операцию. Нос стал короче, но кончик носа не приживался, грозил отвалиться. Миша объяснил, что ему сделали трансплантацию бараньего хряща, а нужно было взять хрящ от свиньи, потому что у свиньи много общего с человеком.

Маша и Феликс посоветовали Мише полечиться в нервной клинике и даже договорились с главным врачом.

Миша поехал в больницу на автобусе, но посреди дороги ему показалось, что пол автобуса сейчас провалится и он упадет под колеса. Миша заметался, стал кричать. Автобус остановился.

Миша куда-то пропал. Его не было два месяца. Потом он появился — тихий и толстый. С одутловатым лицом. Его чем-то накололи. Миша выздоровел и стал неинтересен. Из него как будто что-то ушло. Тот, сумасшедший и тонкий, — он был тревожный и талантливый. И невероятно красивый, даже с усеченным носом. Но этого, адекватного, — они тоже любили. Миша был слабый, требовал заботы. Маша и Феликс чувствовали за него ответственность, как за ребенка, которого они не родили.

Мысль о загубленном ребенке стала посещать их все чаще. Конечно, это был не ребенок, даже не эмбрион, — всего лишь клетка. Но через какие-то девять месяцев это был бы целый человек, их сын или дочка. А они в здравом уме согласились на убийство и еще были рады, когда все удачно прошло.

— Давай сделаем ребеночка, — произнес однажды Феликс.

С одной стороны, ребеночек был некстати, а с другой стороны — ребенок кстати всегда. Женщины рожали на войне и в окопах. А тут все-таки не война и собственный угол. Пусть не собственный, но все равно — целая комната в коммуналке.

В эту ночь они впервые за долгое время отдавались друг другу безо всяких предосторожностей и опасений, с веселыми прибамбасами. Пусть ребенок будет веселый, как Феликс. Над ними сияли любовь, нежность и свобода. И благодарность за полное доверие. Маша и Феликс ощущали свою парность, как пара ног — левая и правая. Можно, конечно, жить и с одной ногой, но очень неудобно. Друг без друга они — калеки.

Маше очень нравилось училище. У нее был восхитительный педагог — пожилой еврей. Он ставил ей руку, развивал технику. Маша бегло читала с листа, приносила к уроку половину партитуры, на что другим требовался месяц.

Педагог часто заболевал — у него была гипертоническая болезнь, и тогда Маша ездила к нему домой.

Педагог и его жена Соня жили в пыли, как две черепашки в песке. Они не замечали пыли и грязи, поскольку у них были другие жизненные приоритеты. Для них не важно, что вокруг, а важно — что в них: их ценности и идеалы.

Маша — девушка с хохлацкой кровью, была чистоплотна, как все хохлушки. Она физически не могла существовать в такой запущенной берлоге. Первые дни она терпела, но когда освоилась, — набросилась на уборку засучив рукава. Она отодвигала кровати и шкафы, доставала оттуда шары пыли, как перекати-поле. Мыла окна, ножом отскабливала затвердевшую грязь с полов и подоконников.

Соня и Яша — так звали педагога — не замечали беспорядка. Но когда оказались в чистоте, то с восторгом заметили, что так гораздо лучше. Оказывается, чистота — это не то, что вокруг и вне тебя. Оказывается, это взаимодействие человека и окружающего пространства. И если улучшается пространство, то меняется и взаимодействие, и сам человек.

— Маша, когда вы появляетесь в доме — как будто солнышко пришло, — сознавалась Соня.

Яша и Соня — бездетная пара. Они переносили свою родительскую любовь на кота и на Машу. Помимо любви, Соня дарила Маше свои вещи, которые ей надоели, как она говорила. Но это были новые дорогие платья и обувь. Просто они берегли Машино самолюбие. Кое-что перепадало и Феликсу: вельветовая рубашка с погончиками.

Феликс надевал вельветовую рубашку и шел в институт. Их режиссерский курс объединяли с актерским для курсовых работ. Режиссеры ставили, актеры играли.

В актрисы шли самые красивые девушки страны. Принимали самых талантливых. Так что перед Феликсом возникли самые красивые и талантливые. Он даже не знал, что бывают такие. Просто не представлял. Особенно Дина. Рядом с ней все остальные девушки казались жалкой поделкой. Она была высокая, белая, высокомерная, с кошачьим разрезом зеленых глаз. К Дине было страшно подойти. Феликсу казалось, что она его лягнет, как копытом.

Репетировали пьесу Артура Миллера. Дина играла героиню — наркоманку, прообраз Мэрилин Монро. Видимо, любовь Миллера к Монро была самым сильным потрясением его жизни. Пьеса — странная, как будто стоишь на оголенных проводах.

Феликс работал с полной отдачей. Сводил счеты с прошлым. Когда-то он был хуже всех — нищая безотцовщина. Теперь — лучше всех. Он еще покажет, на что он способен. Он доставал из Дины Мэрилин Монро. Они понимали друг друга: Дина — Феликса, и Дина — Мэрилин. В них срабатывал один и тот же механизм: порок и чистота и тяга к разрушению. Добро и зло. Бог и Дьявол — в одном человеке.

Феликс сам одуревал, как от наркотика. Ему хотелось беспрестанно репетировать, искать… В какую-то минуту он обнял Дину, прижал. Он рисковал быть убитым ее копытом, но она, как ни странно, не ударила и не оттолкнула. Все произошло мгновенно, страстно, на полу, на жестких досках, к тому же еще могли войти. Страх и опасность обостряли чувства.

За первым разом последовал второй, потом третий — и разразился роман. Феликс и Дина ходили взявшись за руки. Вместе ели в столовой, не разлучались. Феликсу казалось, что Маше нет места в его жизни. Какая Маша…

Но он приходил домой. Маша его вкусно кормила и гуляла перед сном. Привычно молчали или беседовали, проговаривая свой день. Им была интересна каждая деталь, каждая подробность жизни другого. Например, Феликс пугался, когда узнавал, что Маша попала под дождь, а потом полдня провела в мокрых туфлях. Какая еще Дина? Бред какой-то…

По ночам они зачинали своего ребенка. А утром Феликс уходил в институт и видел Дину — такую сильную, самодостаточную. Начиналась другая жизнь, в которой он любил Дину.

Феликс хотел, чтобы Дина всегда была рядом, но не ВМЕСТО Маши, а ВМЕСТЕ с Машей. Он любил обеих. Такой он был гаремный человек, как петух в куриной стае. Он — самый пестрый и наглый. А они — вокруг него. Он бы их любил, каждую по-своему, и за каждую отвечал: добывал червяка и мял, чтобы несли яйца. Все как положено.

Откуда в Феликсе была эта гаремность? Может быть, таким петухом был его отец Илья Израйлевич? А может быть, отец ни при чем. Он сам такой, Феликс. В этом его самоутверждение и самореализация.

Дина ждала от Феликса поступков типа развода с женой, официального предложения руки и сердца. Но Феликс тянул, медлил, ни на что не решался. Дина стала нервничать, в ход пошли спиртные напитки и скандалы. Это стало утомительно и не по карману. Феликс переместил свои интересы с Дины на Зину. А пока Зина разобралась, что к чему, Феликс окончил институт и защитил диплом. С отличием.

Он мог бы остаться в Москве, но захотел вернуться в Одессу. Там — море. А здесь его нет.

Когда Феликс ходил по центру Одессы, он знал, что можно сесть на любой вид транспорта, и тот за полчаса привезет к морю. Можно встать у кромки и смотреть, как дышит море — параллельный мир, со своей жизнью внутри, зависимостью от Луны. Может быть, море влюблено в Луну, в этом причина приливов и отливов.

А здесь, в Москве, среди каменных домов, он спохватывался иногда: а где же море?.. Потом вспоминал, что его нет. И становилось так грустно…

Феликс и Маша вернулись в Одессу. Началась новая взрослая жизнь.

Феликс искал и не мог найти нужный материал для своего первого фильма. То, что ему нравилось, — не принимали. А то, что предлагали, — фальшиво, неинтересно, воротило с души. Но надо было жить, есть, на что-то опираться. Феликс опирался на Машу.

Маша пошла работать в музыкальную школу, преподавала сольфеджио.

Контрабас стоял в углу, в чехле. Как-то не пригодился. В симфонический оркестр не просунуться, евреи брали только своих. Был еще один путь — стать любовницей дирижера.

Но Маша этот путь даже не рассматривала.

Кроме симфонического оркестра оставалась эстрада, вокально-инструментальные ансамбли. Но Маша и эстрада — две вещи

несовместные. К тому же туда тоже брали
только молодых мужчин.

Маша, в результате, преподавала сольфеджио в музыкальной школе и делала это
тщательно и хорошо. За что она ни при-
нималась — все у нее выходило хорошо.
По-другому Маше было неинтересно. Когда
халтуришь, время идет медленно. А когда вы-
кладываешься, время бежит весело и быстро.
И в результате — хорошее настроение.

Но вот детей не получалось. Не получалось — и все. Что-то замкнуло после первого
аборта.

Феликс стал задумываться о своем сирот-
стве. И принял решение: он разделит судьбу
Маши. Если она не родит, они будут бездет-
ной парой. Жить друг для друга. Других детей, рожденных не от Маши, он не хотел.

Кончилось тем, что Феликс и Маша за-
вели собаку. Собака была жгучая брюнетка с
грустными бархатными глазами, они назвали
ее Роза Моисеевна, сокращенно Роза. Людей
делили на две категории: тех, кто любит собак, и тех, кто к ним равнодушен.

Жизнь катилась по накатанной дороге.

Валя Нестерова вышла замуж за алкоголика
и переехала в Москву. В период, свободный
от запоев, алкоголик писал дивную музыку.
Он был композитор. Так что Валя вышла замуж за музыку и за Москву.

Маша ходила на работу, преподавала музыкальную грамоту, содержала семью. Приносила из магазина сумки с продуктами, го-

товила еду мужу и собаке. Была занята с утра до вечера. Уставала.

Феликс страдал от отсутствия детей и работы. На страдания уходил весь день.

У меня ничего не менялось. Я писала и печаталась. И чего-то ждала. В толстом журнале вышла моя повесть. Журнал попал в руки Феликса. Он прочитал и тут же решил — это именно тот материал, который ему нужен. Феликс сосредоточился для борьбы и пробил мою повесть. Тогда было в ходу именно это слово: пробил. Как кулак пробивает стену: усилие, риск, синяки, возможны даже переломы. Но иначе не получалось. Такое было время.

Феликс пробил мою повесть, и я прилетела в Одессу для заключения договора на сценарий.

Феликс встретил меня, отвез в гостиницу. Оглядел номер и тут же сообразил: хорошо бы с автором прокрутить блиц-роман. Это может пойти на пользу делу. Зная привычки Феликса, я объяснила, что никакой пользы от блиц-романа быть не может. Только вред. К тому же я приехала за делом, а не за его прыгучестью.

Я не люблю никакого хлама ни в доме, ни в душе, ни в отношениях, ни в своих страницах. Я вычеркиваю лишние слова, выкидываю лишние вещи. И тем более не вступаю в лишние отношения.

Феликс перестал приставать. Сел в угол. Почему-то расстроился. Меланхолия шла ему больше, чем напор.

Синеглазый и темноволосый, он походил на Алена Делона.

— Знаешь, чем отличаются умные от дураков? — спросила я.

— Чем? — Феликс поднял голову.

— Умные умеют отличать главное от второстепенного. А дураки нет. Для дураков все главное. Или все второстепенное.

Феликс стал соображать: какое это имеет к нему отношение.

— Главное — снять хороший фильм, — объяснила я.

— А любовь, ты считаешь, — не главное? — с презрением спросил он. — Все вы, писатели, одинаковые. От вас чернилами пахнет.

На том и порешили: отодвинуть любовь ради дела... Но если быть точной: никакой любви не было. Иначе ее так просто не отодвинешь.

Я относилась к Феликсу снисходительно и никогда не забывала, что он «жопа», — по определению Вали Нестеровой. Сам Феликс тоже имел низкую самооценку. Он говорил о себе: «Я — одесская фарца». Он иногда скупал у моряков партию женских колготок, потом продавал втридорога. Тогда это называлось «фарца» и спекуляция. Сейчас — бизнес. Тогда за это сажали, сейчас — все государство на разных уровнях скупает и продает.

Забегая вперед, хочу сказать, что я недооценивала Феликса. И он сам себя тоже недооценивал. Он снял очень хороший дебют по моей повести. И это стало началом его восхождения.

А тогда... Стояло лето. Феликс пригласил меня домой на ужин. К моему приходу Маша надела сарафанчик на лямочках. Накрыла стол. Я запомнила краски: зеленое, фиолетовое, красное. Перцы, помидоры, баклажаны. Золотистая корочка поросенка. Все это было так красиво, что жалко разрушать.

Маша в сарафанчике — милая, большеглазая, трогательная, как теленок. Красота всегда несет в себе агрессию. А Маша — на другом конце агрессии: сама скромность, покорность и чистота. И Феликс возле нее становился совсем другим. И было невозможно себе представить, что он может шуровать за ее спиной. Что ТОТ — гаремный, и этот — моногамный, — один и тот же человек.

В тот вечер были приглашены гости. Феликс и Маша угощали меня не только едой, но и своими друзьями. Я их не запомнила. Только помню, что мы танцевали, топоча, как стадо, и смеялись без видимых причин. Было весело от вина, от молодости и от того, что все впереди. Здоровые организмы, как хорошие моторы, несли нас вперед без поломок.

К ночи гости разошлись. Маша послала Феликса прогулять собаку. Мы вышли втроем: Феликс, я и собака.

— Она тебя так любит, — сказала я со светлой завистью.

— Ну и что? — спокойно возразил Феликс. — С тобой хоть поругаться можно. А эта только любит — и все. Скучно.

Собака вырвалась и исчезла во тьме.

— Роза! — кричал Феликс в темноту и метался. — Роза! — Потом подошел ко мне, проговорил в панике: — Машка меня отравит...

Через полчаса Роза откуда-то вынырнула. Феликс ухватил ее за ошейник, и мы вернулись в дом.

— Феликс боялся, что вы его отравите, — сообщила я Маше.

Маша подняла свои глаза-вишни и ответила безо всякой иронии:

— Нет, я бы его, конечно, не отравила. Но если бы Роза пропала — это несчастье.

Я почему-то смутилась. Я поняла каким-то образом: то, что происходит вне их дома, надо оставлять за дверью, как грязную обувь. Не вносить в дом. Здесь — герметичное пространство, как в самолете. Или стерильная чистота, как в операционной.

Настал день моего отъезда.

Феликс и Маша пришли меня проводить. Феликс извинился, что не сможет поехать в аэропорт. У них с Машей назначен прием к врачу.

— А что случилось? — спросила я.

— Внематочная беременность, — легко объяснил Феликс.

— Как это? — поразилась я.

Маша смотрела перед собой в никуда. Вид у нее был потусторонний. Внематочная беременность — это почти гарантированное бесплодие плюс операция, боль и неизвестность.

— Районный врач определил, — сказал Феликс. — Но мы записались к хорошему специалисту.

— А когда он определил? — не поняла я.

— Вчера.

— О господи... — выдохнула я.

Еще два дня назад мы танцевали, топотали. А на другой день жизнь Маши перевернулась на 180 градусов, в сторону ночи и черноты. Вот уж действительно: все под Богом ходим...

Феликс заносил мои вещи в такси, давал напутствия по сценарию. Особенно его волновал конец, потому что конец — делу венец. История к концу должна набирать обороты. Может быть, есть смысл убить главного героя, поскольку исторически его миссия как бы кончилась. В новом послеперестроечном времени ему нет места. А с другой стороны, американцы всегда избегают плохих концов. Должен быть свет в конце тоннеля. Хеппиэнд. Зритель должен уйти с чувством надежды и справедливости.

Маша стояла чуть поодаль — такая грустная и одинокая. Поведение Феликса на фоне ее трагедии выглядело как предательство. Какой финал, какое кино, когда жизнь рушится. Придуманный герой его волновал больше, чем живая, страдающая Маша.

— Мы опаздываем... — тихо напомнила Маша.

— Ничего, успеем, — отмахнулся Феликс.

Они успели. Феликс оказался прав.

Более того, их жизнь снова повернулась на 180 градусов, лицом к солнцу и счастью. Беременность оказалась нормальной. И даже определялись сроки: шесть недель. Это значило, что через семь с половиной месяцев у них должен появиться ребенок. Первый. А через какое-то время — второй.

Какое счастье... Боже мой, какое счастье... Бог погрозил Маше пальцем, но не наказал. Бог добрый. И жизнь тоже — с хеппи-эндом, как американское кино.

Маша и Феликс возвращались от врача с чувством надежды и справедливости. А главное — тишина в душе. Они шли тихим шагом, чтобы не расплескать тишину и глубокую удовлетворенность. По дороге купили молодую морковь и антоновку. Для витаминов. Теперь они ничего не делали просто так: все для ребенка. Маша была вместилищем главного сокровища. Иногда Феликсу казалось, что она рискует: поднимает тяжелую сумку или стирает, перегнувшись. Тогда он цепенел от ужаса и искренне жалел, что не может сам выносить своего ребенка.

Через семь с половиной месяцев родился здоровый мальчик. Назвали Валентин, в честь мамы, сокращенно Валик.

У мальчика были глаза-вишни и белые волосы. Он походил на пастушонка. В нем текла одна четверть еврейской крови. Феликс был далек от человеческой селекции. Люди — не фрукты, и он — не Мичурин. Но присутствие другой, контрастной, крови — всегда хорошо. Феликс любил разглагольствовать на эту тему.

Маша отмахивалась, не слушала его измышления. Она очень уставала.

Тем временем Феликс закончил нашу с ним короткометражку. Ему дали снимать большое кино.

Жизнь, как корабль, — выходила в большие воды.

Феликсу в ту пору было тридцать пять лет. Маше — двадцать восемь. Впереди — долгая счастливая жизнь.

Прошлое Феликса опустилось в глубину его памяти. Но не забылось. Феликс знал, что никогда и ни при каких обстоятельствах он не бросит своего сына. Он не желал никому, а тем более сыну пережить то, что когда-то пережил сам: отсутствие мужчины в доме, постоянное ощущение своей неполноценности, нищету, комплексы бедности, боль за маму, ее зрелые страдания, женское унижение и то, как эта боль отдавалась в душе мальчика. В результате всего — низкая самооценка. Они с мамой — неполная семья, как кастрюля без крышки, как дверь без ручки. И для того чтобы поднять самооценку, Феликс барахтался, цеплялся, и в результате к тридцати пяти годам выплыл в большие воды. Его жизнь — как большой корабль, на котором играет музыка и слышен детский смех.

Все случилось через пять лет, когда Феликсу исполнилось сорок, а Маше — тридцать три. Грянул гром с ясного неба.

Этот гром назывался Нина. Редактор его последнего фильма.

Они постоянно разговаривали. Феликс не приставал к Нине — не до того. Были дела поважнее: сценарий. Нина считала, что сценарий не готов. Его надо выстраивать. Главное — это причинно-следственные связи. Что происходит на экране и ПОЧЕМУ?

Феликса тянуло на поиск новых форм, на авангард. А Нина считала, что все это мура и провинция. Должна быть чеховская простота. Сюжет: проститутка встречает офицера. Он переворачивает ее представления о жизни. А она сеет сомнения в его идеи и устои.

Почему он с ней пошел? Совершенно непонятно. Он не тот человек, который пойдет с проституткой. Значит — надо придумать. Сценарий — это фундамент и каркас. Если не сцеплено — все повалится.

Феликс и Нина все время разговаривали, проговаривали, мяли, разминали. Они встречались утром на работе. Время летело незаметно. Вместе обедали в буфете — и не замечали, что ели. После работы расходились по домам, и Феликс звонил из дома. Феликсу казалось, что без Нины он беспомощен, как ребенок без матери. Если она его бросит — он не сможет двинуться вперед ни на сантиметр. Он вообще не понимал: а где она была раньше? Оказывается, была... Странно.

Наконец сценарий готов. Все ясно, почему героиня занимается проституцией. Почему офицер с ней пошел. И за всем этим — разрушенная страна и трагедия маленького человека, потерявшего почву под ногами.

После сценария — актерские пробы. Феликс и Нина делали это вместе. Репетировали, просматривали материал. Феликс чувствовал себя увереннее, когда Нина находилась рядом — невысокая, строгая, как учительница. Феликс мучился, метался, сомневался. А Нина — все знала и понимала, как истина в последней инстанции. Они были, как лед и пламень. Один только пламень все сожжет. Лед — все заморозит. А вместе они пробирались вперед, связанные одной цепью.

Наступил Новый год. Решили встретить в ресторане. Феликс пришел с Машей, а Нина — с другом, капитаном дальнего плаванья. Феликс с удивлением смотрел на капитана. Ему было странно, что у Нины существует какая-то своя личная жизнь. Он воспринял это как предательство.

На Нине было вечернее платье с открытыми плечами и бриллиантовое колье, которое, как выяснилось, подарил ей отец — главный прокурор города. Этот папаша держал многие ниточки в своих руках и многих мог заставить прыгать, как марионетки.

Феликс был подавлен и раздавлен. Он увидел Нину совершенно в другом качестве: не скромную подвижницу, а хозяйку жизни с любовником-суперменом и папашей — всесильным мафиозо. А Феликс думал, что Нина — его личный блокнот, который можно в любую минуту достать и почерпнуть нужную информацию.

Феликс почувствовал себя жалким мытарем, а Машу — женой жалкого мытаря — унылой и монотонной. Вспомнились стихи Корнея Чуковского: «А в животе у крокодила темно и пусто и уныло, и в животе у крокодила рыдает бедный Бармалей».

Со дна души всколыхнулись привычные комплексы. Он хуже всех. Рожден ползать. А рожденный ползать, как известно, летать не может.

Феликс молчал весь вечер, а потом взял и напился мертвецки. Капитан на плечах отнес его в машину, как мешок с картошкой.

Дома Феликс описался. И это был логический финал: вот он в моче, как в собственном соку. И это все.

Маша стащила с Феликса всю одежду и оставила спать на полу. Ночью он проснулся — совершенно голый, на жесткой основе, и не мог сообразить: где он? В морге? Он умер? Феликс стал искать глазами маму, но все было, как на земле: комната, детские игрушки. И Маша, которая цедила ему из банки рассол от соленых огурцов.

Рассол втекал в него спасительной влагой. Феликс поднялся и пошел в душ. Вода омывала тело, возвращала к жизни. К жизни без Нины. Феликс стоял, зажмурившись, и плакал.

Этап РАЗГОВАРИВАТЬ окончился. Начался новый этап: СМОТРЕТЬ. Он смотрел на Нину и смотрел, как будто позабыл на ней свои глаза. Он вбирал в себя ее лицо во всех ракурсах: в профиль, фас, три четверти. Маленькое изящное ухо, привычный изгиб волос, столб шеи, на которую крепилась маленькая, как тыковка, головка. А сколько в этой головке ума, юмора. Феликс смотрел на Нину и бредил наяву, шевелил губами.

Нина замечала, но никак не реагировала. Каждый человек вправе смотреть, если ему нравится. Это было поведение самоуверенной женщины, привыкшей к тому, что на нее смотрят, желают, мечтают.

Когда Феликс вспоминал о капитане, и более того — представлял в подробностях, — он наполнялся темным ветром ярости и торопился уйти, чтобы не нагрубить Нине, не сказать что-то оскорбительное.

Фильм тем временем перешел в монтажно-тонировочный период. Феликс сидел в монтажной комнате, приходилось задерживаться допоздна. Маша давала ему с собой бутерброды и бульон в термосе. Не задавала вопросы и не возникала. Она верила Феликсу безгранично. И сама была преданна безгранично. У нее не было других интересов, кроме семьи. И времени тоже не было. После работы забирала ребенка из детского сада и как рыба билась в сетях большого хозяйства: убрать, постирать, приготовить. Работала в две смены: утром на работе, вечером дома. У нее был свой сюжет и свое кино.

Феликс и Нина тем временем сидели в монтажной. Они, как четки, перебирали каждый сантиметр пленки. Урезали длинноты. Потом им казалось, что они сократили слишком много — исчез воздух. Возвращались обратно.

Когда выходили на улицу покурить, с удивлением смотрели на поток людей, совершенно равнодушных к кинопроизводству и монтажу. Оказывается, существовала другая, параллельная, жизнь, как у рыб.

Однажды вечером Нина пришла в монтажную. Феликсу показалось, что от нее пахнет капитаном. Он тут же замкнулся и сказал:

— Ты мне мешаешь...

— Я на минуту, — спокойно ответила Нина, глядя на изображение.

«Почему на минуту? — насторожился Феликс. — Куда она торопится?»

— Вот тут у тебя затянуто. Это надо выбросить, — предложила Нина.

— Где?

— Начни прямо с реплики: «У тебя есть револьвер?»

Феликс отмотал пленку, стал смотреть эпизод.

«— У тебя есть револьвер? — спросила проститутка.

— Есть, а что?

— Застрелись.

— Почему?

— Чем так жить, лучше застрелиться.

— Но я люблю свою жизнь.

— Потому что ты не знаешь, как плохо ты живешь...»

Шел текст сценария, но Феликсу казалось, что это про него.

Он повернулся к Нине и сказал:

— Если ты не уйдешь, то ты пожалеешь.

— Не пожалею.

Нина смотрела прямо и бесстрашно.

Он ее обнял. И умер. И долго приходил в себя после отсутствия.

Нина тоже молчала.

— О чем ты думаешь? — спросил Феликс. Он ожидал каких-то главных слов. Но Нина сказала:

— Ты меня убьешь.

— Не убью. Говори.

— Я придумала, чем надо закончить сцену. Они должны отдаться друг другу. У нас он уходит. А это неправда.

— Но офицер другой человек, — возразил Феликс.

— Так в этом все и дело.

Феликс поднялся и отошел к монтажному столу. Нина тоже поднялась, они начали отматывать пленку. Включились в работу, не замечая того, что они голые.

Работа была впереди любви. Вернее, так: работа входила в любовь. Это было состояние наполненности до краев, когда больше не умещается ничего.

— Надо переснять сцену, — подсказала Нина.

— Вызываем на завтра артистов, — распорядился Феликс, вправляя рубашку в джинсы.

Он одевался и понимал: они спасли фильм. Во всяком случае, сильно улучшили. Какое счастье...

Настало лето. Нина ушла в отпуск и уехала с отцом на дачу. У них была своя дача на морском побережье.

Фильм входил в заключительную стадию. Шла перезапись.

Феликс устал. Ему хотелось отдохнуть от Нины, от студии, от тяжелого груза раздвоенности. Ему хотелось вернуть душу в семью, уделить время сыну.

Он рано приходил домой, ложился спать. Потом шел гулять с сыном и собакой. Все было замечательно. Но не хватало кислорода, как на большой высоте. Покой и красота, но дышать нечем.

Однажды утром Феликс встал и начал собирать рюкзак.

— Ты куда? — спросила Маша.

— К Нине, — ответил Феликс. — На дачу.

— Надолго?

— Не знаю.

— Тогда возьми деньги.

Маша вынесла ему весь семейный бюджет. Она не хотела, чтобы Феликс ел прокурорские обеды.

— А вы? — растерялся Феликс.

— Я выкручусь, — пообещала Маша.

Ей в голову не приходило, что у Феликса могут быть иные задачи, кроме творческих.

Феликс ехал на электричке, потом шел пешком и оказался в поселке, где жила Нина. Номера дома и улицу он не знал. И, как чеховский герой из «Дамы с собачкой», — выяснял: где тут дача главного прокурора. Ему показали высокий сплошной забор. Он стоял перед забором. Залаяла собака, но не шпиц, как у Чехова, а бультерьер, собака-людоед.

Вышла Нина — загорелая, в шортах. Не удивилась, как будто ждала. Потом пошла к отцу и сказала, что Феликс будет жить у них в доме, в гостевой комнате.

— Кого ты из меня делаешь? — спросил прокурор.

— Я его люблю, — коротко объяснила Нина.

Отец разрешил.

Феликс поселился как жених. Было очевидно, что без серьезных намерений он не посмел бы поселиться в сердце семьи хозяина края.

Феликс вставал рано, уходил на рыбалку. Приносил большой улов.

В летней кухне качался пол. Феликс переменил лаги и перестелил пол.

Ночью они с Ниной купались под низкими южными звездами. Какое это было счастье…

Однажды утром Нина сказала:

— Отец хочет с тобой поговорить. Поднимись к нему в кабинет.

Феликс испугался. Он понял, что его вызывают на ковер. Это тебе не Дина и Зина в проеме между дверьми. Придется отвечать. Но возможен и другой вариант: ему покажут свое место и отберут Нину. Кто он? Нищий творец. И кто она? Принцесса, захотевшая поиграть в простую девчонку. Как в итальянском фильме.

Прокурор сидел в просторном кабинете, за просторным столом и сам был просторный, очень русский, мужиковатый. Смотрел профессионально-пристально. Феликсу показалось, что еще пять минут, и на него наденут наручники.

— Я знаю, что вы женаты и у вас сын, — коротко и ясно проговорил прокурор.

Феликс молчал. Все было правдой.

— Я не хочу, чтобы моя дочь путалась с женатым человеком.

Феликс молчал. Он бы тоже не хотел, будь он на месте прокурора.

— Я не возражаю, если вы войдете в нашу семью. Я вам помогу. У вас будет зеленая улица.

Феликс не понял, что такое зеленая улица. Поднял глаза.

— Я вас не покупаю, — объяснил прокурор. — Просто я больше всего в жизни люблю мою дочь.

— Я тоже люблю вашу дочь, — отозвался Феликс. И это было единственное, что он сказал.

Его любовь к Нине была совершенно другой, чем к Маше. Машу он любил сверху вниз, снисходя. А Нину — снизу вверх, возвышаясь.

Вечером они сидели у моря. Феликс сказал:

— Опомнись. Я — одесская фарца.

— Нет… — тихо ответила Нина.

— Если хочешь, я разведусь и мы поженимся…

Нина заплакала, от счастья и от стыда за свое счастье. Феликс тоже заплакал от торжественности минуты. Но вдруг вспомнил про капитана.

— А где капитан? — спросил он.

— В дальнем плаванье.

— В каком смысле?

— В прямом. Он же капитан.

— А он вернется?

— А нам-то что?

— Пусть возвращается. Или тонет. Это уже его судьба, которая не имеет к нам никакого отношения. Все прошлое должно быть отринуто. Начинается новая жизнь, как новое кино со своим сценарием.

Феликс приехал в Одессу и, прежде чем явиться домой, завернул на базар, купил разной еды. Все же он ехал домой.

Когда открыл дверь и вошел — увидел Машу, лежащую посреди комнаты, совершенно пьяную.

Его не было десять дней, и все эти десять дней она пила и не ходила на работу. Ребенок топтался вокруг матери и не знал, что ему делать. Все это время он питался хлебом и водой. Как в тюрьме.

Феликс застыл. Как она узнала? Ей сказали? Или она почувствовала?

Феликс увидел фотографии киногруппы, разбросанные по столу. Фотограф, работавший на картине, снимал рабочие моменты, жанровые сцены из жизни группы и даже заключительный банкет. На всех фотографиях Феликс смотрел на Нину, а Нина на Феликса и между ними протянут невидимый провод под напряжением. Даже посторонний глаз видел это напряжение, именуемое СТРАСТЬ.

Маша все поняла. И вот реакция. Она глушит себя до полного бесчувствия, потому что если что-то почувствует, умрет от боли.

Водка вместо наркоза. А Феликс — хирург. Он приехал, чтобы вырезать ее душу. И при этом хочет, чтобы операция прошла без последствий.

Валик подошел к отцу и поднял к нему бледное личико.

— Папа! — тихо воскликнул он. — Ну сделай что-нибудь. Я больше не могу...

Феликс оттащил Машу в ванную с холодной водой. Потом накормил Валика. Он ел, глядя вниз. В его маленьком мозгу крутились какие-то тяжелые мысли.

Маша очнулась, но есть не стала. Феликс уложил ее спать. Впервые за десять дней она спала на кровати. Маша ни о чем не спрашивала. У нее не было сил, чтобы думать и чувствовать.

Ночью Феликс почувствовал, что умирает. У него млело сердце и казалось: сейчас остановится. Холодели руки и ноги.

Он вызвал скорую помощь. Его отвезли в больницу, и он таким образом скрылся от обеих женщин.

Феликс попросил врача, чтобы к нему никого не пускали. Врач тоже предпочитал покой для своего пациента. У Феликса была плохая электрокардиограмма: предынфарктное состояние.

В эти дни ко мне позвонила Валя Нестерова. Она дружила со многими одесситами, и с Ниной в том числе. Я поняла, что это звонок-разведка.

Нина хотела что-то понять и засылала разведчиков.

— Привет, — поздоровалась Валя. — Ну как ты поживаешь?

— Тебя ведь не я интересую, — отозвалась я.

Валя замолчала. Напряглась.

— Он соскочит, — сказала я.

— Откуда ты знаешь?

— Я знаю Феликса.

— Он сделал предложение. Поехал разводиться. И пропал с концами.

— Это называется: сбежал через клозет, — подытожила я.

Валя тяжело замолчала. Она понимала: ей придется нести плохую весть в дом прокурора.

— А ты как поживаешь? — спросила Валя. Ей было неудобно сразу прощаться.

— Как всегда, — ответила я.

Я всегда жила примерно одинаково. Работала. И чего-то ждала.

Феликс вышел из больницы и через полгода уехал в Германию. По программе Коля. Гельмут Коль — рослый и корпулентный человек, оказался крупным во всех отношениях. Он решил хотя бы частично искупить вину немцев перед евреями.

Вот тут сгодился папаша Феликса — Илья Израйлевич. Сгодились его отчество и национальность. Хоть какая-то польза от человека. И как оказалось — не малая.

Феликс и его семья поселились в красивейшем городе Мюнхен — столице Баварии, неподалеку от пивной, где Гитлер начинал свою карьеру.

Правительство предоставило льготы, по которым можно было не просто существовать, а жить, вкусно есть и даже лечиться. После пустых прилавков перестроечной Одессы немецкие супермаркеты казались страной чудес.

Маша первым делом пошла на курсы немецкого языка. Параллельно подрабатывала, убирала у богатых немцев. Такая работа стоила десять марок в час. Чтобы получить сто марок, Маша трудилась десять часов подряд. Как в спортзале. Без отдыха и с нагрузкой.

Феликс в это время был занят тем, что страдал. Он тоже страдал без отдыха и с алкогольной нагрузкой. Маша его не дергала. Она согласилась бы работать и ночью, только бы Феликс был рядом, даже такой — депрессивный, небритый, постоянно курящий.

Главная радость — Валик. Он пошел в школу и делал успехи. Быстро заговорил по-немецки и даже внешне стал походить на немца. Вписался.

Однажды Маша раскрыла газету и прочитала, что в симфонический оркестр требуется контрабас. Открыт конкурс.

Маша пошла и записалась на конкурс. А чем черт не шутит…

Но черт с его шутками не пригодился. Маша переиграла всех претендентов. В ее руках была сила, а в звуке — гибкость. И все эти показатели никак не вязались с ее обликом робкого теленка.

Дирижер Норберт Бауман провел собеседование и отметил с удовлетворением, что русская — точна, как немка. В ней есть талант и качество, как говорят немцы — квалитет. От нее шла хорошая энергетика.

Машу взяли в оркестр.

Это был симфонический оркестр на радио. Государственный канал. Были еще частные каналы и частные оркестры, но государственный считался престижнее и стабильнее. Человек, который получал такое место, мог считать себя обеспеченным до пенсии.

Маша стала зарабатывать большие деньги. Может быть, для немцев это были не очень большие, но для Маши — астрономические. Этих денег хватало на все: на медицинскую страховку, на обучение Валика, на оплату жилья. И еще оставалось. Стали подумывать о собственном доме. Маша хотела дом с бассейном.

Боже мой, могла ли она, полудеревенская девчонка, мечтать о собственном доме с бассейном и гаражом! А ведь все это, если подумать, дал Феликс: семью, сына, а теперь и Германию — красивую, налаженную страну.

Постепенно образовались друзья. Но дружила Маша не с немцами, а с русскими. Русских в Баварии было пруд пруди. После перестройки русские распространились по Европе, несли сюда свои таланты и криминальные наклонности. Говорили даже, что русская мафия оказалась круче, чем итальянская. Русские привыкли идти впереди планеты всей.

Однако для дружбы времени не оставалось. Машин день был расписан буквально по минутам. Утром — репетиция. Днем она готовила обед своим мужчинам и отдыхала перед концертом. Вечером — запись. После работы — ванна и сон. Маша дорожила своей работой и следила за тем, чтобы быть в форме: есть в одно время и засыпать — в одно время. Но у Феликса была манера — приходить к Маше перед сном и рассуждать о вечном. Маша слушала его недолго. Вернее, даже не слушала. Не вникала в слова, чтобы не забивать себе голову ненужной информацией... Потом объявляла:

— Все. Я сплю.

И тушила свет.

Феликс завис во времени, как муха в глицерине.

Он ностальгировал по Нине, по родине, по русскому языку, по работе, по себе, по всей своей прежней жизни. Он был как дерево, у которого перерубили корни. Однако сердце выдержало. Не разорвалось. Для того чтобы не повторить ошибку отца, он буквально зачеркнул свою жизнь. Единственное оправдание такой жертвы — Валик. Сын. Он получил иную жизнь, иную участь. И в будущем ему не придется выбирать: Россия или Германия. Валик будет гражданином мира, где захочет, там и будет жить.

В двадцать первом веке земной шар станет всеобщей коммуналкой: комната справа — Азия, комната слева — Европа.

Маше исполнилось тридцать девять лет. Был день ее рождения. Феликс забыл, а Норберт помнил. И пригласил в ресторан.

Маша собиралась в ресторан. У нее были очень красивые вещи. Феликс появился в дверях и стал рассуждать о том, что немцы дали миру: музыку и философию, Бетховена и Ницше. Но у них нет и никогда не будет русского иррационализма, а значит, русской души, воспетой Достоевским.

Маша никак не могла взять в толк, зачем немцам русская душа. Она торопилась и слушала вполуха. Ее ждал Норберт. Если разобраться, то с Норбертом у нее гораздо больше будущего. Феликс висел, как гиря на ногах. Стряхнуть эту гирю Маша не решалась. Но терпеть было утомительно.

Она подняла голову и попросила:

— Отстань, а?

эпилог

Нина вышла замуж за капитана.

Феликс приехал в Москву, чтобы найти работу. Снять кино. В Германии его талант не пригодился. А больше он ничего не умел. Просто сидеть и философствовать — лучше застрелиться.

Москва изменилась. Здесь тоже появились продюсеры, как на Западе. И, как на Западе, все упиралось в деньги. Преодолеть идеологический барьер было проще, чем сегодняшний — рублевый. Но Феликс понимал, что нужно преодолеть. Собрать волю в кулак — и пробить.

Феликс приехал в Москву и зашел ко мне. Просто поздороваться.

Я открыла ему дверь, держа на руках трехмесячную внучку. У внучки выкатывались старые волосики, а на темени выросли новые и стояли дыбом.

— Волосы, — растроганно проговорил Феликс.

Я хотела дать ему девочку в руки, подержать. Но передумала. От Феликса плотно пахло табаком. Феликс тоже дернулся взять ее у меня, но решил, что он недостаточно стерилен. Остался стоять, глядя на ребенка нежно и со слезами.

Феликс больше не был веселым. Все, что случилось, — подломило его. Но не сломало. Он стоял как дерево, которое пустило дополнительные корни.

Мы молчали, понимая друг друга без слов. От той минуты, когда он торчал в моем окне, до этой минуты — прошла целая жизнь.

— Ну, как ты? — спросила я.

— Не знаю. А ты?

— Как всегда.

В моей жизни, кроме детей и замыслов, не менялось ничего.

перелом

Татьяна Нечаева, тренер но фигурному катанию, сломала ногу. Как это получилось: она бежала за десятилетней дочерью, чтобы взять ее из гостей... Но начнем сначала. Сначала она поругалась с мужем. Муж завел любовницу. Ему — сорок пять, ей — восемнадцать. Но не в возрасте дело. Дело в том, что... Однако придется начать совсем с начала, с ее восемнадцати лет.

Таня занимается фигурным катанием у лучшего тренера страны. Тренер, с немецкой фамилией Бах, был настроен скептически. У Тани не хватало росту. Фигура на троечку: талия коротковата, шея коротковата, нет гибких линий. Этакий крепко сбитый ящичек, с детским мальчишечьим лицом и большими круглыми глазами. Глаза — темно-карие, почти черные, как переспелые вишни. И челочка над глазами. И желание победить. Вот это желание победить оказалось больше, чем все линии, вместе взятые.

Тренер называл Таню про себя «летающий ящик». Но именно в этот летающий ящик безумно влюбился Миша Полянский, фигурист первого разряда. Они стали кататься вместе, образовали пару. Никогда не расставались: на льду по десять часов, все время в обнимку. Потом эти объятия переходили в те.

Миша — красив, как лилия, изысканный блондин. У него немного женственная красота. Когда он скользил по льду, как в полусне, покачиваясь, как лилия в воде, — это было завораживающее зрелище. И больше ничего не надо: ни скорости, ни оборотов, ни прыжков.

У Татьяны — наоборот: скорость, обороты и прыжки. Она несла активное начало. Это была сильная пара.

Таня была молода и ликующе счастлива. Она даже как будто немножко выросла, так она тянулась к Мише во всех отношениях, во всех смыслах. Она крутилась в воздухе, как веретено. И в этом кружении были не видны недостатки ее линий.

Таню и Мишу послали на соревнования в другую страну. Победа светила им прямо в лицо, надо было только добежать до победы, доскользить на коньках в своих черно-белых костюмах. Но… Миша влюбился в фигуристку из города Приштина. Черт знает, где этот город… В какой-то социалистической стране. Фигуристка была высокая и обтекаемая, как русалка. И волосы — прямые и белые, как у русалки. Они были даже похожи друг на друга, как брат и сестра. И влюбились с первого взгляда. Таня поймала этот его взгляд. У Миши глаза стали расширяться, как от ужаса, как будто он увидел свою смерть.

Дальше все пошло прахом — и соревнования, и жизнь. Таня тогда впервые упала в обморок. А потом эти предобморочные состояния стали повторяться. Она почти привыкла к резко подступающей слабости. Ее как будто куда-то тянуло и утягивало. Таня поняла: она не выдержит. Она потеряет все: и форму, и спорт, и жизнь в конце концов. Надо что-то делать.

Клин вышибают клином. Любовь вышибают другой любовью.

Таня пристально огляделась вокруг и вытащила из своего окружения Димку Боброва — длинного, смешного, как кукла Петрушка. Димка был простоват, и это отражалось на танце. Танец его тоже был простоват. Он как бы все умел, но в его движении не было наполнения. Одни голые скольжения и пируэты.

Фигурное катание — это мастерство плюс личность. Мастерство у Димки было, а личности — нет.

Татьяна стала думать: что из него тянуть. Внешне он был похож на куклу Петрушку с прямыми волосами, торчащим носом, мелкими круглыми глазами. Значит, Петрушку и тянуть. Фольклор. Эксцентрика. Характерный танец. Для такого танца требуется такое супермастерство, чтобы его не было заметно вообще. Чтобы не видны были швы тренировок. Как будто танец рождается из воздуха, по мановению палочки. Из воздуха, а не из пота.

Таня предложила свою концепцию тренеру. Тренер поразился: летающий ящик оказался с золотыми мозгами. И пошло-поехало…

Татьяна продолжала падать в обмороки, но от усталости. Зато крепко спала.

Димка Бобров оказался хорошим материалом. Податливым. Его можно было вести за собой в любую сторону. Он шел, потел, как козел, но в обмороки не падал. И даже, кажется, не уставал. Петрушка — деревянная кукла. А дерево — оно дерево и есть.

Главная цель Татьяны — перетанцевать Мишу с русалкой. Завоевать первое место в мире и этим отомстить.

Татьяна так тренировала тело, кидала его, гнула, крутила, что просто невозможно было представить себе, что у человека такие возможности. Она УМЕЛА хотеть. А это второй талант.

На следующее первенство Таня и Миша Полянский приехали уже из разных городов. Когда Таня увидела их вместе — Мишу и русалку, ей показалось, что весь этот год они не вылезали из кровати: глаза с поволокой, ходят как во сне, его рука постоянно на ее жопе. Танцуют кое-как. Казалось, думают только об одном: хорошо бы трахнуться, прямо на льду, не ждать, когда все кончится. У них была своя цель — любовь. Тогда зачем приезжать на первенство мира по фигурному катанию? И сидели бы в Приштине.

Татьяна победила. Они заняли с Димкой первое место. Стали чемпионы мира этого года. На нее надели красную ленту. Зал рукоплескал. Как сияли ее глаза, из них просто летели звезды. А Димка Бобров, несчастный Петрушка, стоял рядом и потел от радости. От него пахло молодым козлом.

Татьяна поискала глазами Мишу, но не нашла. Должно быть, они не пришли на закрытие. Остались в номере, чтобы потрахаться лишний раз.

У них — свои ценности, а у Тани — свои. Об их ценностях никто не знает, а Тане рукоплещет весь стадион.

Таня и Димка вернулись с победой и поженились на радостях. Детей не рожали, чтобы не выходить из формы. Фигурное катание — искусство молодых.

О Мише Полянском она больше ничего не слышала. Он ушел в профессиональный балет на льду и в соревнованиях не появлялся. Она ничего не знала о его жизни. Да и зачем?

В тридцать пять Таня родила дочь и перешла на тренерскую работу.

Димка несколько лет болтался без дела, сидел дома и смотрел телевизор. Потом купил абонемент в бассейн и стал плавать.

Татьяна должна была работать, зарабатывать, растить дочь. А Димка — только ходил в бассейн. Потом возвращался и ложился спать. А вечером смотрел телевизор.

Татьяна снова, как когда-то, сосредоточилась: куда направить Димкину энергию. И нашла. Она порекомендовала его Баху.

Тренер Бах старел, ему нужны были помощники для разминки. Димка для этой работы — просто создан. Разминка — как гаммы для пианиста. На гаммы Димка годился. А на следующем, основном этапе подключался великий Бах.

Димка стал работать и тут же завел себе любовницу. Татьяна поняла это потому, что он стал воровать ее цветы. У Татьяны в доме все время были цветы: дарили ученики и поклонники, а после соревнований — просто море цветов. Ставили даже в туалет, погружали в воду сливного бачка. Не хватало ваз и ведер.

Стали пропадать цветы. Потом стал пропадать сам Димка, говорил, что пошел в библиотеку. Какая библиотека, он и книг-то не читал никогда. Только в школе.

Таня не ревновала Димку, ей было все равно. Она только удивлялась, что кто-то соглашается вдыхать его козлиный пот. Она не ревновала, но отвратительно было пребывать во лжи. Ей казалось, что она провалилась в выгребную яму с говном и говно у самого лица. Еще немного, и она начнет его хлебать.

Разразился грандиозный скандал. Татьяна забрала дочь и уехала на дачу. Был конец апреля — неделя детских каникул. Все сошлось — и скандал, и каникулы.

В данную минуту времени, о которой пойдет речь, Татьяна бежала по скользкой дороге дачного поселка. Дочь Саша была в гостях, надо было ее забрать, чтобы не возвращалась одна в потемках.

Саша была беленькая, большеглазая, очень пластичная. Занималась теннисом. Татьяна не хотела делать из нее фигуристку. Профессия должна быть на сорок лет как минимум. А не на десять, как у нее с Димкой. Вообще спорт должен быть не профессией, а хобби. Что касается тенниса, он пригодится всегда. При любой профессии.

Дочь, ее здоровье, становление личности — все было на Татьяне. Димка участвовал только в процессе зачатия. И это все.

Татьяна бежала по дороге, задыхаясь от злости. Мысленно выговаривала Димке: «Мало я тебя, козла, тянула всю жизнь, родила дочь, чуть не умерла…»

Роды были ужасные. На горле до сих пор вмятина, как след от пули. В трахею вставляли трубку, чтобы воздух проходил. Лучше не вспоминать, не погружаться в этот мрак.

В пять лет Саша чуть не умерла на ровном месте. Грязно сделали операцию аппендицита. И опять все на Татьяне, находить новых врачей, собирать консилиум, бегать, сходить с ума. Она победила и в этот раз.

Димкиных родственников лечила, хоронила. И вот благодарность…

Мише Полянскому она прощала другую любовь. Миша был создан для обожания. А этот — козел — туда же… Куда конь с копытом, туда и рак с клешней.

Но почему, почему у Татьяны такая участь? Она — верна, ее предают. Может быть, в ней чего-то не хватает? Красоты, женственности? Может, она не умеет трахаться? Хотя чего там уметь, тоже мне высшая математика... Надо просто любить это занятие. Древняя профессия — та область, в которой любители превосходят профессионалов. Вот стать чемпионом мира, получить лавровый венок — это попробуй... Хотят все, а получается у одного. У нее получилось. Значит, она — леди удачи. Тогда почему бежит и плачет в ночи? Почему задыхается от обиды...

Татьяна поскользнулась и грохнулась. Она умела балансировать, у нее были тренированные мускулы и связки. Она бы устояла, если бы не была такой жесткой, стремительной, напряженной от злости.

Попробовала встать, не получилось. Стопа была ватная. «Сломала, — поняла Татьяна. — Плохо». Эти слова «сломала» и «плохо» прозвучали в ней как бы изнутри. Организм сказал. Видимо, именно так люди общаются с гуманоидами: вслух не произнесено, но все понятно.

Татьяна села на снег. Осознала: надвигается другая жизнь. Нога — это профессия. Профессия — занятость и деньги. Надеяться не на кого. Димки практически нет. Да она и не привыкла рассчитывать на других. Всю жизнь только на себя. Но вот она сломалась. Что теперь? Леди удачи хренова. Удача отвернулась и ушла в другую сторону, равно как и Димка.

В конце улицы появилась Саша. Она шла домой, не дождавшись мамы, и помпон подрагивал на ее шапке. Приблизилась. С удивлением посмотрела на мать.

— Ты чего сидишь?

— Я ногу сломала, — спокойно сказала Татьяна. — Иди домой и позвони в скорую помощь. Дверь не заперта. Позвони 01.

— 01 — это пожар, — поправила Саша тихим голосом.

— Тогда 02.

— 02 — это милиция.

— Значит, 03, — сообразила Татьяна. — Позвони 03.

Саша смотрела в землю. Скрывала лицо.

— А потом позвони папе, пусть он приедет и тебя заберет. Поняла?

Саша молчала. Она тихо плакала.

— Не плачь. Мне совсем не больно. И это скоро пройдет.

Саша заплакала громче.

— Ты уже большая и умная девочка, — ласково сказала Татьяна. — Иди и делай, что я сказала.

— Я не могу тебя бросить... Как я уйду, а ты останешься. Я с тобой постою...

— Тогда кто позовет скорую помощь? Мы не можем сидеть здесь всю ночь? Да? Иди...

Саша кивнула и пошла, наклонив голову. Татьяна посмотрела в ее удаляющуюся спину и заплакала от любви и жалости. Наверняка Саша получила стресс и теперь на всю жизнь запомнит: ночь, луна, сидящая на снегу мама, которая не может встать и пойти вместе с ней. Но Саша — ее дочь. Она умела собраться и действовать в нужную минуту.

Скорая помощь приехала довольно быстро, раньше Димки. Это была перевозка не из

Москвы, а из Подольска, поскольку дачное место относилось к Подольску.

Татьяну отвезли, можно сказать, в другой город.

Молчаливый сосредоточенный хирург производил хорошее впечатление. Он без лишних слов поставил стопу на место и наложил гипс. Предложил остаться в больнице на три дня, пока не спадет отек.

— Вы спортом занимались? — спросил врач. Видимо, заметил каменные мускулы и жилы, как веревки.

— Занималась, — сдержанно ответила Татьяна.

Врач ее не узнал. Правильнее сказать: не застал. Татьяна стала чемпионкой 25 лет назад, а врачу — примерно тридцать. В год ее триумфа ему было пять лет.

В жизнь входило новое поколение, у которого — своя музыка и свои чемпионы мира. «Пришли другие времена, взошли другие имена». Откуда это… Хотя какая разница.

Татьяну положили в палату, где лежали старухи с переломом шейки бедра. Выходил из строя самый крупный, генеральный сустав, который крепит туловище к ногам. У старых людей кости хрупкие, легко ломаются и плохо срастаются. А иногда не срастаются вообще, и тогда впереди — неподвижность до конца дней.

Старухи узнали бывшую чемпионку мира. Татьяна мало изменилась за двадцать пять лет: тот же сбитый ящичек и челочка над большими круглыми глазами. Только затравленное лицо и жилистые ноги.

Старуха возле окна преподнесла Татьяне подарок: банку с широким горлом и крышкой.

— А зачем? — не поняла Татьяна.

— Какать, — объяснила старуха. — Оправишься. Крышкой закроешь…

— Как же это возможно? — удивилась Татьяна. — Я не попаду.

— Жизнь заставит, попадешь, — ласково объяснила старуха.

«Жизнь заставит»… В свои семьдесят пять лет она хорошо выучила этот урок. На ее поколение пришлась война, бедность, тяжелый рабский труд — она работала в прачечной. Последние десять лет — перестройка и уже не бедность, а нищета. А месяц назад ее сбил велосипедист. Впереди — неподвижность и все, что с этим связано. И надо к этому привыкать. Но старуха думала не о том, как плохо, а о том, как хорошо. Велосипедист мог ее убить, и она сейчас лежала бы в сырой земле и ее ели черви. А она тем не менее лежит на этом свете, в окошко светит солнышко, а рядом — бывшая чемпионка мира. Пусть бывшая, но ведь была…

— У моего деверя рак нашли, — поведала старуха. — Ему в больнице сказали: операция — десять миллионов. Он решил: поедет домой, вырастит поросенка до десяти пудов и продаст. И тогда у него будут деньги.

— А сколько времени надо растить свинью? — спросила Татьяна.

— Год.

— Так он за год умрет.

— Что ж поделаешь... — вздохнула старуха. — На все воля Божия.

Легче жить, когда за все отвечает Бог. Даже не отвечает — велит. Это ЕГО воля. Он ТАК решил: отнять у Татьяны профессию, а Димке дать новое чувство. Почему такая несправедливость — у нее отобрать, а ему дать... А может быть, справедливость. Татьяна всегда была сильной. Она подчинила мужа. Задавила. А он от этого устал. Он хотел свободы, хотел САМ быть сильным. С этой новой, восемнадцатилетней, — он сильный, как отец, и всемогущий, как Господь Бог. Вот кем он захотел стать: папой и Богом, а не козлом вонючим, куклой деревянной.

Каждая монета имеет две стороны. Одна сторона Татьяны — умение хотеть и фанатизм в достижении цели. Другая — давление и подчинение. Она тяжелая, как чугунная плита. А Димке этого НЕ НАДО. Ему бы сидеть, расслабившись, перед телевизором, потом плыть в хлорированных водах бассейна и погружать свою плоть в цветущую нежную молодость. А не в жилистое тело рабочей лошади.

Но что же делать? Она — такая как есть и другой быть не может. Пусть чугунная плита, но зато ответственный человек. За всех отвечает, за близких и дальних. За первенство мира. Она и сейчас — лучший тренер. Все ее ученики занимают призовые места. Она — рабочая лошадь.

А Димка — наездник. Сел на шею и едет. Почему? Потому что она везет. В этом дело.

Она везет — он едет и при этом ее не замечает. Просто едет и едет.

Татьяна лежала с приподнятой ногой. Мысли наплывали, как тучи.

Вспомнилось, как заболела Димкина мать, никто не мог поставить диагноз, пока за это не взялась Татьяна.

Диагноз-приговор был объявлен, но операцию сделали вовремя и мать прожила еще двадцать лет. Татьяна подарила ей двадцать лет.

А когда мать умерла, Татьяна пробила престижное кладбище в центре города. В могилу вкопали колумбарий из восьми урн.

Димка спросил:

— А зачем так много?

— Вовсе не много, — возразила Татьяна. — Твои родители, мои родители — уже четверо. И нас трое.

— Дура, — откомментировал Димка.

Эти мысли казались ему кощунственными. А человек должен думать о смерти, потому что жизнь и смерть — это ОДНО. Как сутки: день и ночь.

И пока день — она пашет борозду. А Димка едет и покусывает травинку...

— Что же делать? — вслух подумала Татьяна и обернула лицо к старухе.

— Ты про что? — не поняла старуха.

— Про все.

— А что ты можешь делать? Ничего не можешь, — спокойно и беззлобно сказала старуха.

Ну что ж... Так даже лучше. Лежи себе и жди, что будет. От тебя ничего не зависит. На все воля Божия.

Значит, на пьедестал чемпионата мира ее тоже поставила чужая воля. И Мишу Полянского отобрала. Теперь Димку — отбирает. И ногу отбирает. За что? За то, что влезла на пьедестал выше всех? Постояла — и хватит. Бог много дал, много взял. Мог бы дать и забыть. Но не забыл, спохватился...

Возле противоположной стены на кровати сидела женщина и терла колено по часовой стрелке. Она делала это часами, не отрываясь. Боролась за колено. Разрабатывала. Значит, не надеялась на волю Божию, а включала и свою волю.

Через четыре дня лечащий врач сделал повторный снимок. Он довольно долго рассматривал его, потом сказал:

— Можно переделать, а можно так оставить.

— Не поняла, — отозвалась Татьяна. — Что переделать?

— Есть небольшое смещение. Но организм сам все откорректирует. Организм умнее ножа.

Значит, надо положиться на волю Божию. На ум организма.

— А вы сами как считаете? — уточнила Татьяна. — Не вмешиваться?

— Я бы не стал...

Татьяна вернулась домой. Нужно было два месяца просидеть в гипсе. Она не представляла себе: как это возможно — два месяца неподвижности. Но человеческий организм оказался невероятно умной машиной. В мозг как будто заложили дискету с новой программой, и Татьяна зажила по новой программе. Не испытывала никакого драматизма.

Добиралась на костылях до телефона, усаживалась в кресло. Она звонила, ей звонили, телефон, казалось, раскалялся докрасна. За два месяца провернула кучу дел: перевела Сашу из одной школы в другую, достала спонсоров для летних соревнований. Страна в экономическом кризисе, но это дело страны. А дело Татьяны Нечаевой — не выпускать из рук фигурное катание, спорт-искусство. Дети должны кататься и соревноваться. И так будет.

Татьяна дозвонилась нужным людям, выбила новое помещение для спортивного комплекса. Вернее, не помещение, а землю. Хорошая земля в центре города. Звонила в банки. Банкиры — ребята молодые, умные, жадные. Но деньги дали. Как отказать Татьяне Нечаевой. И не захочешь, а дашь...

Димка помогал: готовил еду, мыл посуду, ходил в магазин. Но в положенные часы исчезал исправно. Он хорошо относился к своей жене, но и к себе тоже хорошо относился и не хотел лишать себя радости, более того — счастья.

Через два месяца гипс сняли. Татьяна вышла на работу. Работа тренера — слово и показ. Она должна объяснить и показать.

Татьяна привычно скользила по льду. Высокие конькобежные ботинки фиксировали сустав. Какое счастье от движения, от скольжения. От того, что тело тебе послушно. Однако после рабочего дня нога синела, как грозовая туча, и отекала.

По ночам Татьяна долго не могла заснуть. В место перелома как будто насыпали горячий песок.

Димка сочувствовал. Смотрел встревоженными глазами, но из дома убегал. В нем прекрасно уживались привязанность к семье и к любовнице. И это логично. Каждая привносила свое, и для гармонии ему были нужны обе. На одной ехал, а с другой чувствовал. Ехал и чувствовал. Что еще надо…

Татьяна долго не хотела идти к врачу, надеялась на ум организма. Но организм не справлялся. Значит, была какая-то ошибка.

В конце концов Татьяна пошла к врачу, не к подольскому, а к московскому.

Московский врач осмотрел ногу, потом поставил рентгеновский снимок на светящийся экран.

— Вилка разъехалась, — сказал он.

— А что это такое? — не поняла Татьяна.

Перелом со смещением. Надо было сразу делать операцию, скрепить болтом. А сейчас уже поздно. Время упущено.

Слова «операция» и «болт» пугали. Но оказывается, операция и болт — это не самое плохое. Самое плохое то, что время упущено.

— Что же делать? — тихо спросила Татьяна.

— Надо лечь в диспансер, пройти курс реабилитации. Это займет шесть недель. У вас есть шесть недель?

— Найду, — отозвалась Татьяна.

Да, она найдет время и сделает все, чтобы поставить себя на ноги. Она умеет ходить и умеет дойти до конца.

Она сделает все, что зависит от нее. Но не все зависит от нее. Судьба не любит, когда ОЧЕНЬ хотят. Когда слишком настаивают. Тогда она сопротивляется. У судьбы — свой характер. А у Татьяны — свой. Значит, кто кого...

День в диспансере был расписан по секундам.

Утром массаж, потом магнит, спортивный зал, бассейн, уколы, иголки, процедуры — для того, для этого, для суставов, для сосудов... Татьяна выматывалась, как на тренировках. Смысл жизни сводился к одному: никуда не опоздать, ничего не пропустить. Молодые методистки сбегались посмотреть, как Татьяна работает на спортивных снарядах. Им, методисткам, надоели больные — неповоротливые тетки и дядьки, сырые и неспортивные, как мешки с мукой.

Бассейн — небольшой. В нем могли плавать одновременно три человека, и расписание составляли так, чтобы больше трех не было.

Одновременно с Татьяной плавали еще двое: Партийный и студент. Партийный был крупный, с красивыми густыми волосами. Татьяне такие не нравились. Она их, Партийных, за людей не держала. Ей нравились хрупкие лилии, как Миша Полянский. Татьяна — сильная, и ее тянуло к своей противоположности.

Партийный зависал в воде, ухватившись за поручень, и делал круговые упражнения ногой. У него была болезнь тазобедренного сустава. Оказывается, и такое бывает. Раз в год он ложился в больницу и активно противостоял своей болезни. Потом выходил из больницы и так же активно делал деньги. Не зарабатывал, а именно делал.

— Вы раньше где работали? — поинтересовалась Татьяна.

— Номенклатура, — коротко отвечал Партийный.

— А теперь?

— В коммерческой структуре.

— Значит, эту песню не задушишь, не убьешь...

Партийный неопределенно посмеивался, сверкая крепкими зубами, и казался здоровым и качественным, как белый гриб.

— Это вы хотели видеть нас дураками. А мы не дураки...

«Вы» — значит, интеллигенция. А «Мы» — партийная элита. Интеллигенция всегда находится в оппозиции к власти, тем более к ТОЙ, партийной власти. Но сейчас, глядя на его сильные плечи, блестящие от воды, Татьяна вдруг подумала, что не туда смотрела всю жизнь. Надо было смотреть не на спортсменов, влюбленных в себя, а на этих вот, хозяев жизни. С такими ногу не сломаешь...

Партийный часто рассказывал про свою собаку по имени Дуня. Собака так любила хозяина, что выучилась петь и говорить. Говорила она только одно слово — ма-ма. А пела под музыку. Без слов. Выла, короче.

Татьяна заметила, что Партийный смотрит в самые ее зрачки тревожащим взглядом. Казалось, что он говорит одно, а думает другое. Рассказывает о своей собаке, а видит себя и Таню в постели.

Студент командовал: наперегонки!

Все трое отходили к стенке бассейна и по свистку — у студента был свисток — плыли к противоположному концу. Три пары рук мелькали, как мельничные крылья, брызги летели во все стороны. Но еще никто и никогда не выигрывал у Татьяны. Она первая касалась рукой кафельной стены.

Студент неизменно радовался чужой победе. Он был веселый и красивый, но слишком худой. Он упал с дельтапланом с шестиметровой высоты, раздробил позвонок. После операции стал ходить, но не прямо, а заваливаясь назад, неестественно выгнув спину.

Татьяна не задавала лишних вопросов, а сам студент о своей болезни не распространялся. Казалось, он о ней не помнил. И только худоба намекала о чем-то непоправимом.

Рядом с ним Татьяне всякий раз было стыдно за себя. Подумаешь, вилка разошлась на полсантиметра. У людей не такое, и то ничего… Хотя почему «ничего». Студенту еще как «чего».

На субботу и воскресенье Татьяна уезжала домой. Во время ее отсутствия пол посыпали порошком от тараканов. Когда Татьяна возвращалась в свою палату, погибшие тараканы плотным слоем лежали на полу, как махровый ковер. Татьяна ступала прямо по ним, тараканы хрустели и щелкали под ногами.

Больница находилась на государственном обеспечении, а это значит — прямая, грубая бедность. Телевизор в холле старый, таких уже не выпускали. Стулья с продранной обивкой. Врачи — хорошие, но от них ничего не зависело. Сюда в основном попадали из других больниц. Приходилось реабилитировать то, что испорчено другими.

Преимущество Татьяны состояло в том, что у нее была палата на одного человека с телефоном и телевизором.

Она каждый день звонила домой, проверяла, что и как, и даже делала с Сашей уроки по телефону.

Димка неизменно оказывался дома. Значит, не бросал Сашу, не менял на любовницу. Это хорошо. Бывает, мужчина устремляется на зов страсти, как дикий лось, сметая все, что по дороге. И детей в том числе. Димка не такой. А может, ТА не такая.

После обеда заходила звонить Наташа-челнок с порванными связками. Связки ей порвали в Варшаве. Она грузила в такси свои узлы, потом вышла из-за машины и угодила под другую. Ее отвезли в больницу.

Врач-поляк определил, что кости целы, а связки порваны.

— Русская Наташа? — спросил лысый врач.

— Любите русских Наташ? — игриво поинтересовалась Наташа.

Она была рада, что целы кости. Она еще не знала, что кости — это проще, чем связки.

— Не-на-ви-жу! — раздельно произнес врач.

Наташа оторопела. Она поняла, что ненависть относится не к женщинам, а к понятию «русский». Ненависть была не шуточной, а серьезной и осознанной. За что? За Катынь? За 50 лет социализма? А она тут при чем?

— Будете подавать судебный иск? — официально спросил врач.

— На кого? — не поняла Наташа.

— На того, кто вас сбил.

— Нет, нет, — торопливо отказалась Наташа.

Она хотела поскорее отделаться от врача с его ненавистью.

— Отправьте меня в Москву, и все.

Наташа хотела домой, и как можно скорее. Дома ей сшили связки. Врач попался уникальный, наподобие собаки Дуни. Дуня умела делать все, что полагается собаке, плюс петь и говорить. Так и врач. Он сделал все возможное и невозможное, но сустав продолжал выезжать в сторону. Предстояла повторная операция.

Наташа приходила на костылях, садилась на кровать и решала по телефону свои челночные дела: почем продать колготки, почем косметику, сколько платить продавцу, сколько отдавать рэкетирам.

Наташа рассказывала Татьяне, что на милицию сейчас рассчитывать нельзя. Только на бандитов. Они гораздо справедливее. У бандитов есть своя мораль, а у милиции — никакой.

Татьяна слушала и понимала, что бандиты стали равноправной прослойкой общества. Более того — престижной. У них сосредоточены самые большие деньги. У них самые красивые девушки.

Новые хозяева жизни. Правда, их отстреливают рано или поздно. Пожил хозяином и поймал ртом пулю. Или грудью. Но чаще лбом. Бандиты стреляют в голову. Такая у них привычка.

Основная тема Наташи — неподанный иск. Оказывается, она могла получить огромную денежную компенсацию за физический ущерб. Она не знала этого закона. Утрата денег мучила ее, не давала жить. Она так трудно их зарабатывает. А тут взяла и отдала сама. Подарила, можно сказать.

— Представляешь? — Наташа простирала руки к самому лицу Татьяны. — Взяла и подарила этой польской сволочи...

У нее навертывались на глаза злые слезы.

— Брось, — отвечала Татьяна. — Что упало, то пропало.

Наташа тяжело дышала ноздрями, мысленно возвращаясь в ту точку своей жизни, когда она сказала «нет, нет». Она хотела вернуться в ту роковую точку и все переиграть на «да, да»...

У Татьяны тоже была такая точка. У каждого человека есть такая роковая точка, когда жизнь могла пойти по другому пути.

Можно смириться, а можно бунтовать. Но какой смысл в бунте?

Татьяна вспомнила старуху из подольской больницы и сказала:

— Радуйся, что тебя не убило насмерть.

Наташа вдруг задумалась и проговорила:

— Это да…

Смирение гасит душевное воспаление.

Наташа вспомнила рыло наезжающей машины. Ее передернуло и тут же переключило на другую жизненную волну.

— Заходи вечером, — пригласила Наташа. — Выпьем, в карты поиграем. А то ты все одна…

Наташа была таборным человеком, любила кучковаться. С самой собой ей было скучно, и она не понимала, как можно лежать в одноместной палате.

Татьяна воспринимала одиночество как свободу, а Наташа — как наказание.

В столовой Татьяна, как правило, сидела с ученым-физиком. У него была смешная фамилия: Картошко.

Они вместе ели и вместе ходили гулять.

Картошко лежал в больнице потому, что у него умерла мама. Он лечился от тоски. Крутил велотренажер, плавал в бассейне, делал специальную гимнастику, выгонял тоску физическим трудом.

Семьи у него не было. Вернее, так: она была, но осталась в Израиле. Картошко поначалу тоже уехал, но потом вернулся обратно к своей работе и к своей маме. А мама умерла.

И работа накрылась медным тазом. Наука не финансировалась государством.

Татьяна и Картошко выходили за территорию больницы, шли по городу. И им казалось, что они здоровые, свободные люди. Идут себе, беседуют о том о сем.

Картошко рассказывал, что в эмиграции он работал шофером у мерзкой бабы из Кишинева, вульгарной барышницы. В Москве он не сказал бы с ней и двух слов. Они бы просто не встретились в Москве. А там приходилось терпеть из-за денег. Картошко мучительно остро переживал потерю статуса. Для него смысл жизни — наука и мама. А в Израиле — ни того ни другого. А теперь и здесь — ни того ни другого. В Израиль он не вернется, потому что никогда не сможет выучить этот искусственный язык. А без языка человек теряет восемьдесят процентов своей индивидуальности. Тогда что же остается?

— А вы еврей? — спросила Татьяна.

— Наполовину. У меня русский отец.

— Это хорошо или плохо?

— Что именно? — не понял Картошко.

— Быть половиной. Как вы себя ощущаете?

— Как русей. Русский еврей. Я, например, люблю только русские песни. Иудейскую музыку не понимаю. Она мне ничего не дает. Я не могу жить без русского языка и русской культуры. А привязанность к матери — это восток.

— Вы хотите сказать, что русские меньше любят своих матерей?

— Я хочу сказать, что в московских богадельнях вы никогда не встретите еврейских старух. Евреи не сдают своих матерей. И своих детей. Ни при каких условиях. Восток не бросает старых. Он бережет корни и ветки.

— Может быть, дело не в национальности, а в нищете?

Картошко шел молча. Потом сказал:

— Если бы я точно знал, что существует загробная жизнь, я ушел бы за мамой. Но я боюсь, что я ее там не встречу. Просто провалюсь в черный мешок.

Татьяна посмотрела на него и вдруг увидела, что Картошко чем-то неуловимо похож на постаревшего Мишу Полянского. Это был Миша в состоянии дождя. Он хотел выйти из дождя, но ему не удавалось. Вывести его могли только работа и другой человек. Мужчины бывают еще более одинокими, чем женщины.

Однажды зашли в часовую мастерскую. У Картошко остановились часы. Часовщик склонился над часами. Татьяна отошла к стене и села на стул. Картошко ждал и оборачивался, смотрел на нее. Татьяна отметила: ему необходимо оборачиваться и видеть, что его ждут. Татьяне стало его хорошо жаль. Бывает, когда плохо жаль, через презрение. А ее жалость просачивалась через уважение и понимание.

Когда вышли из мастерской, Татьяна спросила:

— Как вы можете верить или не верить в загробную жизнь? Вы же ученый. Вы должны знать.

— Должны, но не знаем. Мы многое можем объяснить с научной точки зрения. Но в конце концов упираемся во что-то, чего объяснить нельзя. Эйнштейн в конце жизни верил в Бога.

— А он мог бы его открыть? Теоретически обосновать?

— Кого? — не понял Картошко.

— Бога.

— Это Бог мог открыть Эйнштейна, и никогда наоборот. Человеку дано только верить.

Неожиданно хлынул сильный майский дождь.

— Я Скорпион, — сказала Татьяна. — Я люблю воду.

Вокруг бежали, суетились, прятались. А они шли себе — медленно и с удовольствием. И почему-то стало легко и беспечно, как в молодости, и даже раньше, в детстве, когда все живы и вечны, и никто не умирал.

В девять часов вечера Картошко неизменно заходил смотреть программу «Время».

Палата узкая, сесть не на что. Татьяна поджимала ноги. Картошко присаживался на краешек постели. Спина оставалась без опоры, долго не просидишь. Он стал приносить с собой свою подушку, кидал ее к стене и вдвигал себя глубоко и удобно. Они существовали с Татьяной под прямым углом. Татьяна — вдоль кровати, Картошко — поперек. Грызли соленые орешки. Смотрели телевизор. Обменивались впечатлениями.

Однажды был вечерний обход. Дежурный врач строго оглядел их композицию под прямым углом и так же строго скомандовал:

— А ну расходитесь...

Татьяне стало смешно. Как будто они старшие школьники в пионерском лагере.

— Мы телевизор смотрим, — объяснила Татьяна.

— Ничего, ничего... — Дежурный врач сделал в воздухе зачеркивающее движение.

Картошко взял свою подушку и послушно пошел прочь.

Врач проводил глазами подушку. Потом выразительно посмотрел на Татьяну. Значит, принял ее за прелюбодейку. Это хорошо. Хуже, если бы такое ему не приходило в голову. Много хуже.

Татьяна заснула с хорошим настроением. В крайнем случае можно зачеркнуть двадцать пять лет с Димкой и начать сначала. Выйти замуж за Картошко. Уйти с тренерской работы. Сделать из Картошки хозяина жизни. Варить ему супчики, как мама...

По телевизору пела певица — тоже не молодая, но пела хорошо.

Как когда-то Татьяна хотела перетанцевать Мишу Полянского, так сейчас она хотела перетанцевать свою судьбу. Ее судьба называлась «посттравматический артроз».

— Что такое артроз? — спросила Татьяна у своего лечащего врача.

Врач — немолодая, высокая женщина, производила впечатление фронтового хирурга. Хотя откуда фронт? Война кончилась пятьдесят лет назад. Другое дело: болезнь всегда фронт, и врач всегда на передовой.

— Артроз — это отложение солей, — ответила врач.

— А откуда соли?

— При переломе организм посылает в место аварии много солей, для формирования костной ткани. Лишняя соль откладывается.

Татьяна догадалась: если соль лишняя, ее надо выгонять. Чистить организм. Как? Пить воду. И не есть. Только овощи и фрукты. А хорошо бы и без них.

Татьяна перестала ходить в столовую. Покупала минеральную воду и пила по два литра в день.

Первые три дня было тяжело. Хотелось есть. А потом уже не хотелось. Тело стало легким. Глаза горели фантастическим блеском борьбы. Есть такие характеры, которые расцветают только в борьбе. Татьяна вся устремилась в борьбу с лишней солью, которая как ржавчина оседала на костях.

Картошко стал голодать вместе с Татьяной. Проявил солидарность. Они гуляли по вечерам, держась за руку, как блокадные дети.

В теле растекалась легкость, она тянула их вверх. И казалось, что если они подпрыгнут, то не опустятся на землю, а будут парить, как в парном катании, скользя над землей.

— Вас Миша зовут? — спросила Татьяна.

— Да. Михаил Евгеньевич. А что?

— Ничего. Так.

Они стали искать аналоги имени в другом языке: Мишель, Мигель, Майкл, Михай, Микола, Микеле...

Потом стали искать аналоги имени Татьяна, и оказалось, что аналогов нет. Чисто русское имя. На другом языке могут только изменить ударение, если захотят.

Миша никогда не говорил о своей семье. А ведь она была. В Израиле остались жена и дочь. Жену можно разлюбить. Но дочь... Должно быть, это был ребенок жены от первого брака. Миша женился на женщине с ребенком.

— У вас приемная дочь? — проверила Татьяна.

— А вы, случайно, не ведьма?

— Случайно, нет.

— А откуда вы все знаете?

— От голода.

Голод промывает каналы, открывает ясновидение.

Через две недели врач заметила заострившийся нос и голубую бледность своей пациентки Нечаевой.

Татьяна созналась, или, как говорят на воровском языке: раскололась.

— Вы протянете ноги, а я из-за вас в тюрьму, — испугалась врач.

Это шло в комплексе: Татьяна — в свой семейный склеп, а врач-фронтовичка в тюрьму.

Татьяне назначили капельницу. Оказывается, из голода выходить гораздо сложнее, чем входить в него.

Миша Картошко выздоровел от депрессии. Метод голодания оказался эффективным методом, потому что встряхнул нервную систему. Голод действительно съел тоску.

Перед выпиской Миша зашел к Татьяне с бутылкой испанского вина. Вино было со смолой. Во рту отдавало лесом.

— Вы меня вылечили. Но мне не хочется домой, — сознался Миша.

— Оставайтесь.

— На это место завтра кладут другого. Здесь конвейер.

— Как везде, — отозвалась Татьяна. — Один умирает, другой рождается. Свято место пусто не бывает.

— Бывает, — серьезно сказал Миша. Посмотрел на Татьяну.

Она испугалась, что он сделает ей предложение. Но Миша поднялся.

— Вы куда?

— Я боюсь еще одной депрессии. Я должен окрепнуть. Во мне должно сформироваться состояние покоя.

Миша ушел, как сбежал.

От вина у Татьяны кружилась голова. По стене напротив полз таракан, уцелевший от порошка. Он еле волочил ноги, но полз.

«Как я», — подумала Татьяна.

В соседней палате лежали две Гали: большая и маленькая. Обе пьющие. Галя-маленькая умирала от рака. К суставам эта болезнь отношения не имела, но Галя когда-то работала в диспансере, и главный врач взял ее из сострадания. Здесь она получала препараты, снимающие боль.

Галя-маленькая много спала и лежала лицом к стене. Но когда оживлялась, неизменно хотела выпить.

Галя-большая ходила на двух костылях. У нее не работали колени. Рентген показывал, что хрящи спаялись и ничего сделать нельзя. Но Галя-большая была уверена, что если дать ей наркоз, а потом силой согнуть и силой разогнуть, то можно поправить ситуацию. Это не бред. Есть такая методика: силой сломать спаявшийся конгломерат. Но врачи не решались.

Галя-большая была преувеличенно вежливой. Это — вежливость инвалида, зависимого человека. Иногда она уставала от вежливости и становилась хамкой. Увидев Татьяну впервые, Галя искренне удивилась:

— А ты что тут делаешь?

Гале казалось, что чемпионы, даже бывшие, — это особые люди и ног не ломают. Потом сообразила, что чемпионы — богатые люди.

— Есть выпить? — деловито спросила Галя-большая.

— Откуда? — удивилась Татьяна.

— От верблюда. Возле метро продают. Сбегай купи.

Был вечер. Татьяне обмотали ногу спиртовым компрессом, и выходить на улицу было нельзя.

— Я не могу, — сказала Татьяна.

— Ты зажралась! — объявила Галя-большая. — Не понимаешь наших страданий. Сходи!

— Сходи! — подхватила со своего места Галя-маленькая. — Хочешь, я пойду с тобой?

Она вскочила с кровати — растрепанная, худенькая. Рубашка сползла с плеча, обнажилась грудь, и Татьяна увидела рак. Это была шишка величиной с картофелину, обтянутая нежной розовой кожей.

— Я пойду с тобой, а ты меня подержи. Хорошо?

Истовое желание перехлестывало возможности.

Татьяна вышла из палаты. Возле двери стоял солдат Рома — безумно молодой, почти подросток.

Татьяна не понимала, зачем здесь нужна охрана, но охрана была.

— Рома, будь добр, сбегай за бутылкой, — попросила Татьяна.

— Не имею права. Я при исполнении, — отказался Рома.

Татьяна протянула деньги.

— Купи две бутылки. Одну мне, другую себе. Сдача твоя.

Рома быстро сообразил и исчез. Как ветром сдуло. И так же быстро появился. Ноги у него были длинные, сердце восемнадцатилетнее. Вся операция заняла десять минут. Не больше.

Татьяна с бутылкой вошла к Галям. Она ожидала, что Гали обрадуются, но обе отреагировали по-деловому. Подставили чашки.

Татьяна понимала, что она нарушает больничные правила. Но правила годятся не каждому. У этих Галь нет другой радости, кроме водки. И не будет. А радость нужна. Татьяна наливала, держа бутылку вертикально, чтобы жидкость падала скорее.

Когда чашки были наполнены, Галя-большая подставила чайник для заварки, приказала:

— Лей сюда!

Татьяна налила в чайник.

— Бутылку выбрось! — руководила Галя-большая.

— Хорошо, — согласилась Татьяна.

— А себе? — встревожилась Галя-маленькая.

— Я не пью.

— Нет. Мы так не согласны.

Они хотели праздника, а не попойки.

Татьяна принесла из своей палаты свою чашку. Ей плеснули из чайника.

— Будем, — сказала Галя-большая.

— Будем, — поддержала Галя-маленькая.

И они тут же начали пить — жадно, как будто жаждали.

«Бедные люди… — подумала Татьяна. — Живьем горят в аду…»

Считается, что ад — ТАМ, на том свете. А там ничего нет скорее всего. Все здесь, на земле. Они втроем сидят в аду и пьют водку.

Перед выпиской Татьяне сделали контрольный снимок. Ей казалось, что шесть недель нечеловеческих усилий могут сдвинуть горы, не то что кости. Но кости остались равнодушны к усилиям. Как срослись, так и стояли.

— Что же теперь делать? — Татьяна беспомощно посмотрела на врача.

Врач медлила с ответом. У врачей развита солидарность, и они друг друга не закладывают. Каждый человек может ошибиться, но ошибка художника оборачивается плохой картиной, а ошибка врача — испорченной жизнью.

Татьяна ждала.

— Надо было сразу делать операцию, — сказала врач. — А сейчас время упущено.

— И что теперь?

— Болезненность и тугоподвижность.

— Хромота? — расшифровала Татьяна.

— Не только. Когда из строя выходит сустав, за ним следует другой. Меняется нагрузка на позвоночник. В организме все взаимосвязано.

Татьяна вдруг вспомнила, как в детстве они дразнили хромого соседа: «Рупь, пять, где взять, надо заработать»... Ритм дразнилки имитировал ритм хромой походки.

Татьяна вернулась в палату и позвонила подольскому врачу. Спросила, не здороваясь:

— Вы видели, что у меня вилка разошлась?

— Видел, — ответил врач, как будто ждал звонка.

— Я подам на вас в суд. Вы ответите.

— Я отвечу, что у нас нет медицинского оборудования. Знаете, где мы заказываем болты-стяжки? На заводе. После такой операции у вас был бы остеомиелит.

— Что это? — хмуро спросила Татьяна.

— Инфекция. Гной. Сустав бы спаялся, и привет. А так вы хотя бы ходите.

— А почему нет болтов? — не поняла Татьяна.

— Ничего нет. Экономика рухнула. А медицина — часть экономики. Все взаимосвязано…

Теперь понятно. Страна стояла 70 лет и рухнула, как гнилое строение. Поднялся столб пыли. Татьяна — одна из пылинок. Пылинка перестройки.

— А что делать? — растерялась Татьяна.

— Ничего не делать, — просто сказал врач. — У каждого человека что-то болит. У одних печень, у других мочевой пузырь, а у вас нога.

Судьба стояла в стороне и улыбалась нагло.

Судьба была похожа на кишиневскую барышницу с накрашенным ртом. Зубы — розовые от помады, как в крови.

Вечером Татьяна купила три бутылки водки и пошла к Галям.

Выпили и закусили. Жизнь просветлела. Гали запели песню «Куда бежишь, тропинка милая…».

Татьяна задумалась: немец никогда не скажет «тропинка милая»… Ему это просто в голову не придет. А русский скажет.

Гали пели хорошо, на два голоса, будто отрепетировали. В какой-то момент показалось, что все образуется и уже начало образовываться: ее кости сдвигаются, она слышит нежный скрип… Колени Гали-большой работают, хотя и с трудом. А рак с тихим шорохом покидает Галю-маленькую и уводит с собой колонну метастазов…

«Ах ты, печаль моя безмерная, кому пожалуюсь пойду…» — вдохновенно пели-орали Гали. Они устали от безнадежности, отдались музыке и словам.

В палату заглянула медсестра, сделала замечание.

Татьяна вышла на улицу.

По небу бежали быстрые перистые облака, но казалось, что это едет Луна, подпрыгивая на ухабах.

В больничном дворе появился человек.

«Миша!» — сказало внутри. Она пошла ему навстречу. Обнялись молча. Стояли, держа друг друга. Потом Татьяна подняла лицо, стали целоваться. Водка обнажила и обострила все чувства. Стояли долго, не могли оторваться друг от друга. Набирали воздух и снова смешивали губы и дыхание.

Мимо них прошел дежурный врач. Узнал Татьяну. Обернулся. Покачал головой, дескать: так я и думал.

— Поедем ко мне, — сказал Миша бездыханным голосом. — Я не могу быть один в пустом доме. Я опять схожу с ума. Поедем…

— На вечер или на ночь? — усмехнулась Татьяна.

— Навсегда.

— Ты делаешь мне предложение?

— Считай как хочешь. Только будь рядом.

— Я не поеду, — отказалась Татьяна. — Я не могу спать не дома.

— А больница что, дом?

— Временно, да.

— Тогда я у тебя останусь.

Они пошли в палату мимо Ромы. Рома и ухом не повел. Сторож, называется... Хотя он охранял имущество, а не нравственность.

Войдя в палату, Татьяна повернула ключ. Они остались вдвоем, отрезанные от всего мира.

Артроз ничему не мешал. Татьяна как будто провалилась в двадцать пять лет назад. Она так же остро чувствовала, как двадцать пять лет назад. Этот Миша был лучше того, он не тащил за собой груза предательства, был чист, талантлив и одинок.

Татьяна как будто вошла в серебряную воду. Святая вода — это вода с серебром. Значит, в святую воду.

Потом, когда они смогли говорить, Татьяна сказала:

— Как хорошо, что я сломала ногу...

— У меня ЭТОГО так давно не было... — отозвался Миша.

В дверь постучали хамски требовательно.

«Дежурный», — догадалась Татьяна. Она мягко, как кошка, спрыгнула с кровати, открыла окно.

Миша подхватил свои вещи и вышел в три приема: шаг на табуретку, с табуретки на подоконник, с подоконника — на землю. Это был первый этаж.

— Сейчас, — бесстрастным академическим голосом отозвалась Татьяна.

Миша стоял на земле — голый, как в первый день творения. Снизу вверх смотрел на Татьяну.

— А вот этого у меня не было никогда, — сообщил он, имея в виду эвакуацию через окно.

— Пожилые люди, а как школьники...

— Я пойду домой.

— А ничего? — обеспокоенно спросила Татьяна, имея в виду пустой дом и призрак мамы.

— Теперь ничего. Теперь я буду ждать...

Миша замерз и заметно дрожал, то ли от холода, то ли от волнения.

В дверь нетерпеливо стучали.

Татьяна повернула ключ. Перед ней стояла Галя-большая.

— У тебя есть пожрать? — громко и пьяно потребовала Галя. Ей надоели инвалидность и вежливость.

На другой день Татьяна вернулась домой. За ней приехал Димка. Выносил вещи. Врачи и медсестры смотрели в окошко. На погляд все выглядело гармонично: слаженная пара экс-чемпионов. Еще немного, и затанцуют.

Дома ждала Саша.

— Ты скучала по мне? — спросила Татьяна.

— Средне. Папа водил меня в цирк и в кафе.

Такой ответ устраивал Татьяну. Она не хотела, чтобы дочь страдала и перемогалась в ее отсутствие.

Димка ходил по дому с сочувствующим лицом, и то хорошо. Лучше, чем ничего. Но сочувствие в данной ситуации — это ничего. Кости от сочувствия не сдвигаются.

Тренер Бах прислал лучшую спортивную массажистку. Ее звали Люда. Люда, милая, неяркая, как ромашка, мастерски управлялась с ногой.

— Кто вас научил делать массаж? — спросила Татьяна.

— Мой муж.

— Он массажист?

— Он — особый массажист. У него руки сильные, как у обезьяны. Он вообще как Тулуз-Лотрек.

— Художник? — уточнила Татьяна.

— Урод, — поправила Люда. — Развитое туловище на непомерно коротких ногах.

— А почему вы за него вышли? — вырвалось у Татьяны.

— Все так спрашивают.

— И что вы отвечаете?

— Я его люблю. Никто не верит.

— А нормального нельзя любить?

— Он нормальный. Просто не такой, как все.

— Вы стесняетесь с ним на людях?

— А какая мне разница, что подумают люди, которых я даже не знаю... Мне с ним хорошо. Он для меня все. И учитель, и отец, и сын, и любовник. А на остальных мне наплевать.

«Детдомовская», — догадалась Татьяна. Но спрашивать не стала. Задумалась: она всю жизнь старалась привлечь к себе внимание, добиться восхищения всей планеты. А оказывается, на это можно наплевать.

— А кости ваш муж может сдвинуть? — с надеждой спросила Татьяна.

— Нет. Здесь нужен заговор. У меня есть подруга, которая заговаривает по телефону.

— Тоже урод?

— Нет.

— А почему по телефону?

— Нужно, чтобы никого не было рядом. Чужое биополе мешает.

— Разве слова могут сдвинуть кости? — засомневалась Татьяна.

— Слово — это первооснова всего. Помните в Библии: в начале было слово…

Значит, слово — впереди Бога? А кто же его произнес?

Татьяна позвонила Людиной подруге в полдень, когда никого не было в доме. Тихий женский голос спрашивал, задавал вопросы типа: «Что вы сейчас чувствуете? А сейчас? Так-так… Это хорошо…»

Потом голос пропал. Шло таинство заговора. Невидимая женщина, сосредоточившись и прикрыв глаза, призывала небо сдвинуть кости хоть на чуть-чуть, на миллиметр. Этого бы хватило для начала.

И Татьяна снова прикрывала глаза и мысленно сдвигала свои кости. А потом слышала тихий вопрос:

— Ну как? Вы что-нибудь чувствуете?

— Чувствую. Как будто мурашки в ноге.

— Правильно, — отвечала тихая женщина. — Так и должно быть..

Через месяц Татьяне сделали рентген. Все оставалось по-прежнему. Чуда не случилось. Слово не помогло.

Реабилитация, голодание, заговоры — все мимо. Судьбу не перетанцевать.

Татьяна вдруг расслабилась и успокоилась.

Вспомнилась подольская старуха: могло быть и хуже. Да. Она могла сломать позвоночник и всю оставшуюся жизнь провести в инвалидной коляске с парализованным низом. Такие больные называются «спинальники». Они живут и не чуют половины своего тела.

А она — на своих ногах. В сущности, счастье. Самый мелкий сустав разъехался на 0,7 сантиметра. Ну и что? У каждого человека к сорока пяти годам что-то ломается: у одних здоровье, у других любовь, у третьих то и другое. Мало ли чего не бывает в жизни... Надо перестать думать о своем суставе. Сломать доминанту в мозгу. Жить дальше. Полюбить свою ущербную ногу, как Люда полюбила Тулуз-Лотрека.

Судьба победила, но Татьяне плевать на судьбу. Она устала от бесплодной борьбы, и если бунтовать дальше — сойдешь с ума. Взбесишься. И тоже без толку. Будешь хромая и сумасшедшая.

Татьяна впервые за много месяцев уснула спокойно. Ей приснился Миша Картошко. Он протягивал к ней руки и звал:
— Прыгай...

А она стояла на подоконнике и боялась.

Из сна ее вытащил телефонный звонок. И, проснувшись, Татьяна знала, что звонит Миша.

Она сняла трубку и спросила:
— Который час?

— Восемь, — сказал Миша. — Возьми ручку и запиши телефон.

Миша продиктовал телефон. Татьяна записала на листочке.

— Спросишь Веру, — руководил Миша.

— Какую Веру?

— Это совместная медицинская фирма. Тебя отправят в Израиль и сделают операцию. Там медицина двадцать первого века.

Внутри что-то сказало: «сделают». Произнесено не было, но понятно и так.

— Спасибо, — тускло отозвалась Татьяна.

— Ты не рада?

— Рада, — мрачно ответила Татьяна.

Ей не хотелось опять затевать «корриду», выходить против быка. Но судьба помогает и дает тогда, когда ты от нее уже ничего не ждешь. Вот когда тебе становится все равно, она говорит: «На!»

Для того чтобы чего-то добиться, надо не особенно хотеть. Быть почти равнодушной. Тогда все получишь.

— Я забыл тебя спросить... — спохватился Миша.

— Ты забыл спросить: пойду ли я за тебя замуж?

— Пойдешь? — Миша замолчал, как провалился.

— Запросто.

— На самом деле? — не поверил Миша.

— А что здесь особенного? Ты свободный, талантливый, с жилплощадью.

— Я старый, больной и одинокий.

— Я тоже больная и одинокая.

— Значит, мы пара...

Миша помолчал, потом сказал:

— Как хорошо, что ты сломала ногу. Иначе я не встретил бы тебя...

— Иначе я не встретила бы тебя...

Они молчали, но это было наполненное молчание. Чем? Всем: острой надеждой и сомнением. Страстью на пять минут и вечной страстью. Молчание — диалог.

В комнату вошла Саша. Что-то спросила. Потом вошел Димка, что-то не мог найти. Какой может быть диалог при посторонних.

Свои в данную минуту выступали как посторонние.

Через две недели Татьяна уезжала в Израиль. Ее должен был принять госпиталь в Хайфе. Предстояла операция: реконструкция стопы. За все заплатил спорткомитет.

Провожал Димка.

— Что тебе привезти? — спросила Татьяна.

— Себя, — серьезно сказал Димка. — Больше ничего.

Татьяна посмотрела на мужа: он, конечно, козел. Но это ЕЕ козел. Она так много в него вложила. Он помог ей перетанцевать Мишу Полянского, и они продолжают вместе кружить по жизни, как по ледяному полю. У них общее поле. Димка бегает, как козел на длинном поводке, но колышек вбит крепко, и он не может убежать совсем. И не хочет. А если и забежит в чужой огород — ну что же... Много ли ему осталось быть молодым? Какие-нибудь двадцать лет. Жизнь так быстротечна... Еще совсем недавно они гоняли по ледяному полю, наматывая на коньки сотни километров...

Татьяна заплакала, и вместе со слезами из нее вытекала обида и ненависть. Душа становилась легче, не такой тяжелой. Слезы облегчали душу.

Как мучительно ненавидеть. И какое счастье — прощать.

— Не бойся. — Димка обнял ее. Прижал к груди.

Он думал, что она боится операции.

Татьяна вернулась через неделю.

Каждый день в госпитале стоил дорого, и она не стала задерживаться. Да ее и не задерживали. Сломали, сложили, как надо, ввинтили нужный болт — и привет.

Железо в ноге — не праздник. Но раз надо, значит, так тому и быть.

Два здоровых марокканца подняли Татьяну в самолет на железном стуле. А в Москве двое русских работяг на таком же стуле стали спускать вниз. Трап был крутой. От работяг несло водкой.

— Вы же пьяные, — ужаснулась Татьяна.

— Так День моряка, — объяснил тот, что справа, по имени Коля.

Татьяна испытала настоящий ужас. Самым страшным оказалась не операция, а вот этот спуск на качающемся стуле. Было ясно: если уронят, костей не соберешь.

Но не уронили. Коля энергично довез Татьяну до зеленого коридора. Нигде не задержали. Таможня пропустила без очереди.

За стеклянной стеной Татьяна увидела кучу народа, мини-толпу. Ее встречали все, кто сопровождал ее в этой жизни: ученики, родители учеников, тренер Бах, даже массажистка с Тулуз-Лотреком и подольский врач. Переживал, значит.

Миша и Димка стояли в общей толпе.

Татьяну это не смутило. Это, конечно, важно: кто будет рядом — тот или этот. Но еще важнее то, что она сама есть у себя.

Увидев Татьяну, все зааплодировали. Она скользила к ним, как будто возвращалась с самых главных своих соревнований.

УИК-ЭНД

По утрам она делала гимнастику. Махала руками и ногами. Гнула спину вперед и назад.

— А ты не боишься упасть и сломать шею? — пугалась я.

— Я чувствую, когда граница, — отвечала Нинон.

— А как ты чувствуешь?

— Центром тяжести. Он в позвоночнике. Я чувствую грань между «да» и «нет».

После зарядки Нинон направляется в душ. Плещется долго. Я вхожу следом и замечаю, что колонка течет. Распаялась.

Наша хозяйка, у которой мы снимаем дачу, умоляет только об одном: не смешивать воду в колонке. Отечественные колонки рассчитаны на один режим: холодная или горячая. Нинон это знает. Но для здоровья и удобства ей нужно смешать воду, и значит, все остальное не идет в расчет: хозяйка, ремонт

214

колонки, деньги водопроводчику. Все эти мелочи Нинон не учитывает.

Я вошла в кухню и сказала:

— Нинон! Какая же ты сволочь!

Нинон пьет кофе — свежая, благоухающая, с маникюром и педикюром. Она кивает головой в знак согласия: дескать — сволочь, что ж поделаешь...

Ничего не поделаешь. Я вызываю по телефону водопроводчика и сажусь пить кофе. Уже за столом я вспоминаю, что забыла свой кофе в Москве.

— Дай мне ложку, — прошу я. — Иначе я не проснусь.

— Не могу. Я привезла только в расчете на себя.

Я вздыхаю, но делать нечего. Нинон — это Нинон. От нее надо либо отказываться, либо принимать такую как есть.

Я ее люблю, а значит, понимаю. Любят не только хороших, любят всяких.

Нинон эгоистичная и жадная до судорог. Однако жадность — это инстинкт самосохранения, поэтому дети и старики, как правило, жадные. Я застала Нинон в среднем возрасте — между ребенком и старухой. Нам обеим под сорок. Мы на середине жизненного пути. Вторая половина идет быстрее. Но сейчас не об этом.

Наша дружба с Нинон имеет дачный фундамент. Мы вместе снимаем дачу — одну на двоих. Аренда на зимние месяцы стоит недорого, даже для меня, учительницы русского языка в общеобразовательной школе.

Нинон — переводчица. Она знает немецкий, французский, испанский, португальский, а заодно и все славянские: польский, югославский, болгарский. Нинон — полиглот. Она невероятно чувствует природу языка и может подолгу разглагольствовать на эту тему. Меня интересует одно: кто дал народам их язык? Откуда он взялся: испанский, французский и так далее? Это результат эволюции?

Нинон не знает. И никто не знает. Значит, язык — спущен Богом. Так же, как и сам человек.

Нинон любит профессию и владеет ею в совершенстве. Ее приглашают переводить на международные выставки. Она и сама похожа на иностранку: большеротая, большеглазая, тип Софи Лорен, но нежнее. Ее красота не такая агрессивная.

Что касается меня, то я — белая, несмелая ромашка полевая. У меня золотые кудряшки и лишний вес. Мечта офицера, коим и является мой муж. У меня муж — полковник. Нинон снисходительно называет его «красноармеец».

Мы с Нинон совершенно разные — внешне и внутренне. Она худая, я толстая. Она светская, я домашняя. Она жадная, я равнодушна к собственности. Она атеистка, я верующая. Но при этом мы дружим. Нам вместе интересно. Она меня опекает, критикует, ей нравится быть сильной. Она самоутверждается за мой счет, а я не против.

Мы вместе уезжаем на дачу, проводим субботу и воскресенье, — Нинон называет это уик-энд. Мы гуляем на большие расстояния, смотрим телевизор, обмениваемся впечатлениями, отдыхаем от Москвы, от семьи.

У каждой из нас неполная семья. У меня муж без детей. У нее — дети без мужа. Неизвестно, что хуже.

Мы обе страдаем — каждая по-своему. Я страдаю от пустоты, а она от неблагодарности.

Ее муж, Всеволод, в повседневности Севка, достался ей иногородним студентом. Она его прописала в Москве, выучила, содержала до тех пор, пока он не встал на ноги. Он встал и ушел к другой, оставив ей двоих маленьких детей. Теперь детям пятнадцать и шестнадцать — сын и дочь. Соня и Сева. В выходные дни, пользуясь отсутствием матери, дети собирают в доме ровесников. Эти ровесники портят мебель. Недавно оторвали колесико от кресла и потеряли. Колесико не купить, поскольку кресло с выставки. В одном экземпляре. Надо заказывать колесико, потом вызывать плотника — все это время, деньги, усилия...

Я слушаю и киваю головой.

— Какие свиньи, — комментирую я.

Я — единственный человек, который понимает Нинон. Всем остальным это надоело. Ну сколько можно про кресло, и про колесико, и про неблагодарность. Уши вянут...

Пока мы завтракаем, я звоню в контору и вызываю водопроводчика. Водопроводчик Семен появляется довольно быстро, чинит — меняет какую-то трубку. Называет цену. Нинон вздыхает и говорит, что она внесет свою половину. Значит, вторую половину должна платить я, хотя испортила колонку Нинон. Но я счастлива, что мне досталась половина, а не целая сумма. Могло быть и так.

Мы уходим на прогулку, в этом смысл уик-энда: двигаешься, дышишь, покрываешь большие расстояния, проветриваешься кислородом.

Как хороша природа Подмосковья! Всякая природа красива, и джунгли в том числе. Но джунгли — это чужое. А Подмосковье — свое. Лес... березовая роща... заброшенная почти деревушка. Грубая бедность прикрыта снегом. Все смотрится романтично.

Нинон шагает рядом на крепких страусиных ногах, шапочка над глазами, черные пряди вдоль лица. Чистый снег пахнет арбузными корками, а может быть, это парфюм Нинон. Она душится японскими духами, которые имеют запах арбуза.

Нинон идет размеренно, как верблюд. Я задыхаюсь, а она нет. Я прошу:

— Давай передохнем...

Нинон не соглашается:

— Останавливаться нельзя. Нельзя терять ритм.

Я чертыхаюсь, но все-таки иду. И вдруг через какое-то время ощущаю, что у меня открылось второе дыхание. Действительно стало легче.

Нинон усложняет задачу. Она выбирает наиболее трудные тропинки, а еще лучше бездорожье, чтобы проваливаться по колено. Трудно поверить, что с ней ЭТО было. Может быть, она выдумывает... Но нет. Такое не выдумывают.

Дело в том, что несколько лет назад Нинон пережила тяжелую болезнь. Она не любит это вспоминать. Это тайна, которую она поведала только мне. И я приняла тайну на сердце.

Была болезнь в стадии 2-б. Всего четыре стадии. Была операция. После операции навалилась депрессия, хотела покончить с собой, но нельзя. Дети маленькие. Их надо поднять, хотя бы до совершеннолетия. Кроме нее, поднимать некому. Мать старая, муж у другой. Нинон поняла, что у нее только один выход: выстоять и выжить. И она выживала. Буквально вытаскивала себя за волосы из болота, как барон Мюнхгаузен. Не лекарствами — образом жизни. Закаливание, ограничение и нагрузка — вот три кита, на которых держится ее существование.

Закаливание — это обливать себя холодной водой. Ограничение — мало есть, только чтобы не умереть с голоду. Вес должен быть минимальным. Сердцу легче обслужить легкое тело.

Нагрузки — ходьба. В Москве она забыла про транспорт, везде ходила пешком, покрывала в день по тридцать километров. На субботу и воскресенье выезжала за город — и эти же расстояния на свежем воздухе.

Когда Нинон видела, что пора возвращаться, а не хватает километров, она специально сбивалась в пути. Мы кружили и блуждали, как партизаны. Выбившись из сил, садились на сваленную березу.

Нинон может разговаривать только на одну тему: о своем муже Севке. С ее слов — это сексуальный гигант, она была с ним счастлива как ни с кем, и если изменяла — только в отместку. Их отношения с Севкой — это чередование бешеных ссор и бешеных совокуплений. Середины не было. По гороскопу Нинон Змея, а Севка Тигр. Это абсолютно несовместное сочетание. Змея норовит ужалить исподтишка, а тигр сожрать в открытую. Вот они и разошлись. Но после Севки Нинон выпала на холод. Треснула душа, как если бы раскаленное окунуть в ледяное. Поэтому Нинон заболела. Но она не умрет. Выживет ему назло.

Мы с Нинон поднимаемся и идем дальше, Севке назло. Тигр думает, что он уничтожил змею, наступил на нее лапой. Нет. Она выскользнула и вперед, вперед...

И я следом за Нинон, а куда деваться? Я в основном молчу, в диалог не вступаю. Мне и рассказывать нечего. Мой муж — мой первый и единственный мужчина. А я у него — единственная женщина. Бывает и так.

— Ты ему никогда не изменяла? — поражается Нинон.

— Я верующая. Нам это нельзя, — оправдываюсь я.

— Ерунда. Православие разрешает грешить и каяться.

— Значит, русским можно, а татарам нельзя? — уточняю я.

— Можно всем. Без страстей жизнь скучна.

Я подумала: «А со страстями получается стадия 2-б». Но промолчала.

В брежневские времена не было казино, ночных клубов. Никаких развлечений. Левые романы — это единственное, что было доступно советским гражданам. Многие ныряли в левые романы от скуки, от невостребованности. Это как бы часть социума.

Мы движемся совершенно одни по снежному полю. Если посмотреть сверху — две черные точки на белом.

Я не ропщу. Мы скованы одной цепью — дружбой.

К двум часам мы возвращаемся на дачу — морозные, проветренные и голодные. Хочется есть, есть, есть...

Нинон разрешает себе лепесток мяса, кучку капусты и кусочек черного хлеба, который я называю «сто двадцать пять блокадных грамм».

Я в это время ем кусок жареной печенки величиной с мужскую галошу.

— Ужас... — пугается Нинон. — Печень вырабатывает холестерин. Ты ешь сплошной холестерин.

Звонит телефон. Ей звонят, она звонит. Ей все нужны, и она нужна всем. Нинон — как волнорез, о который разбиваются многие волны. Ее приглашают в гости, в театр, на выставку. Ее хотят видеть, слышать и вдыхать. Нинон пользуется успехом. Успех — это насыщенная гордость. Нинон полна гордостью до краев и забывает о своих неприятностях и даже о болезни. Таково защитное свойство человеческой психики.

После еды вырабатывается гормон покоя. Мы ложимся и засыпаем. В Испании это называется сиеста.

За три года такой жизни я похудела, окрепла и помолодела. Все это замечают. Даже мои ученики.

Наступила перестройка и принесла свой сюжет и свои декорации.

Дети Нинон выросли. Им двадцать и двадцать один. Сын влюбился в немку и уехал в Германию. Дочь завела себе друга по имени Олег, и они стали жить вместе в центре Москвы.

У меня все по-старому, кроме учеников. Ученики сдают выпускные экзамены и исчезают во времени. Ученики текут, как вода, как река, как сама жизнь.

Мы по-прежнему ездим с Нинон на уикэнды. Дача прежняя, прогулки те же самые, но не по снегу, а по изумрудной траве.

Лето. Шагается легко. Нинон жалуется по обыкновению, а я слушаю. «Кому повем печаль мою…»

Нинон живет одна. Это хорошо, поскольку никто не мучает. Но и плохо, потому что все — не по ее.

Друг Сони занимается бизнесом: купи-продай… Что он продает, что покупает — непонятно. Единственная мечта Нинон, чтобы этого Олега не было в помине. Пусть бросит Соню, или в крайнем случае — пусть его отстрелят.

Так и случилось. Нинон накаркала. Приманила несчастье. Однажды Олег вошел в лифт. В лифте стоял невысокий мужичок и улыбался.

— Вам на какой? — спросил Олег.

— На последний, — отозвался мужичок.

Олег нажал свою кнопку с цифрой «пять». Лифт начал подниматься. Мужичок выстрелил, не переставая улыбаться. Пуля попала в середину тела, между грудью и животом.

Лифт остановился на пятом этаже. Мужичок вышел и, насвистывая, побежал вниз. А Олег выполз на площадку и успел позвонить в дверь. Соня открыла, и ей на руки осел любимый, окровавленный, теряющий сознание. Как в кино.

Соня позвонила матери, а уж потом в скорую. Нинон ринулась в спасение ненавистного ей Олега. Она доставала по своим каналам редчайшие лекарства, платила бешеные деньги, при ее-то жадности.

Олег выжил. Они с Соней уехали в Швейцарию отдыхать. Значит, было на что. Настроение у Олега было жуткое. Он буквально заглянул смерти в лицо и боялся, что это повторится. Видно, что-то не то продавал. Но все обошлось. Ему позвонили и сказали: выжил — твоя удача. Живи. Но больше дорогу нам не переходи. Мы это не любим. Олег поклялся, что больше дорогу не перейдет, будет держаться подальше.

Жизнь вошла в свое русло. Нинон снова стала ненавидеть Олега.

— Это человек не нашего круга, — возмущается Нинон.

— Сейчас круги перемешались, — говорю я. И это правда.

— Моя мать из глухомани вышла замуж за городского. Это был путь наверх. Я поднялась еще выше. Я знаю пять языков. Моя дочь должна была подняться выше меня. Или хотя бы на уровне. А она... Пала ниже, чем мать. Та хоть трудом зарабатывала, а этот ворует. Зачем я его спасала? Думаешь, он мне благодарен?

— Думаю, да. Без всякого сомнения.

— Хоть бы деньги за лекарство отдал. Я говорю: Соня, скажи Олегу, пусть отдаст тысячу долларов за лекарство. А она: «Мама, как тебе не стыдно...» Представляешь?

— Скажи сама, — советую я.

— Неудобно... Получается, что я совершила благородный поступок, а теперь требую за это деньги.

— Тогда не требуй...

— Они сами должны понимать. А они не хотят понимать. Трахаются, и все.

— А ты что делала в их возрасте? — напоминаю я. — То же самое...

Нинон замолкает. Уходит в себя. Она сделала для своих детей все, что могла, и больше, чем могла. Она выжила. А они — неблагодарные. Один уехал, и с концами. Как будто его нет. А другая продолжает доить мать, как дойную корову.

— Ну почему все только в одну сторону? — вопрошает Нинон. — Почему я должна все время давать?

— Так это же хорошо. Значит, ты сильная. Рука дающего да не оскудеет.

Перед нами широкая протока. Это уже не ручей, но еще не речка.

Нинон скидывает с себя одежду и, голая, как нимфа, погружает себя в воду. Вода ее омывает. Лицо светлеет и становится детским. Она не плывет, а ходит на руках по дну, как земноводное. Нинон меня зовет, но я боюсь застудиться. Я еще надеюсь когда-нибудь родить.

— Холод лечит, — успокаивает Нинон. — Не бойся...

Я осторожно захожу в воду и сажусь на дно. Тело мгновенно привыкает к разности температур. Какое блаженство... Вода уносит мои печали и разъедающие думы Нинон. Кажется, что в природе нет никого и ничего, как в первый день творения: только синее небо, хрустальная вода и голый человек.

Вечером мы идем в гости.

В дачном поселке много общих знакомых. На соседней улице живут Брики. Я их так зову. Вообще, у них другая фамилия. Общее с Бриками — треугольник. Женщина и двое мужчин. Она — немолода, с жидкими волосами и очень близорука. Очки, как бинокли, от этого глаза за очками кажутся мелкими, как точки. Ее зовут Рита. Говорят, у нее золотые мозги и душа тоже вполне золотая.

У них постоянно бывают гости. Я замечаю, что Нинон метет еду, как пылесос. В гостях она не столь привередлива. И когда на общем блюде остается еда, типа сациви или салата, Нинон подвигает к себе блюдо и сметает могучим ураганом своего аппетита, который приходится постоянно сдерживать.

Все это замечают, но легко прощают. Ей можно больше, чем остальным. Почему? Потому что она ТАКАЯ.

Я смотрю на Бриков. Они мне нравятся: все вместе и каждый в отдельности. Мужчины породистые и самодостаточные. Нинон красивее и моложе, чем Рита. Но у Риты — двое. А у Нинон — ни одного. Несправедливо. Однако я догадываюсь, в чем дело. Нинон эгоистична, ничем не делится, ни деньгами, ни душой. А Рита делится всем.

Мужчины за столом — физики и лирики, смотрят на меня с большим одобрением. Я к этому привыкла. Я нравлюсь всем слоям и прослойкам. Но я свято соблюдаю заповедь: не прелюбодействуй. Я твердо знаю, что мой брак держится на моей верности. Если верности не будет — все рухнет, и очень быстро. Поэтому я — устойчива и спокойна, и это добавляет мне козырей.

В конце вечеринки мы поем песни Юрия Визбора.

«Милая моя, солнышко лесное…» Вообще, это не грамотно. Солнышко не бывает лесное или речное. Оно — одно. Но в этой ошибке столько очарования и нежности: солнышко лесное…

Я смотрю на Нинон. Улыбка перебегает от уголков ее губ к глазам. Наконец-то она сыта и счастлива. Она забыла про Севку, про болезни, про неблагодарность… Счастлива, и все. В мире столько нежности на самом деле.

Время шло. В стране установился непонятный строй: капитализм по-русски.

Дача накрылась медным тазом, как говорят мои ученики. Наша дачная хозяйка продолжает сдавать, но за доллары. В стране все всё сдают, иначе не выжить.

Нинон оформила документы и укатила в Германию, поближе к сыну. Прежде чем уехать, она сдала свою квартиру американцу за бешеные деньги. Квартира у Нинон большая, элегантная, в хорошем районе. За американца платила фирма, так что все довольны — и американец, и Нинон. А фирме все равно, она будет переводить деньги в русский банк Нинон, на валютный счет.

Я в очередной раз попыталась забеременеть, и это случилось, но ненадолго. Должно быть, Бог отменил мою ветку. Ему видней. Это очень жаль, потому что я создана для материнства. У меня просторные бедра, чтобы родить, грудь, чтобы кормить, и лицо, чтобы склониться над ребенком. Все это не понадобилось. Странно…

У меня не очень хорошо с нервами, и я вышиваю крестом. Это успокаивает. Когда мы с мужем идем в театр, я кладу рукоделие в сумочку и вышиваю в антракте. На меня все смотрят с удивлением: зачем вышивать в театре? Сиди дома и вышивай. Но муж не делает мне **замечаний**. Ему все равно, лишь бы я была рядом. Мы — идеальная пара. Может быть, за это Бог не дает нам детей.

У Нинон есть поговорка: «Кругом шестнадцать не бывает». Почему шестнадцать — я не понимаю. Но смысл в том, что человек не получает все сразу. Или идеальная пара без детей, или тигр со змеей, но с детьми.

Я вышиваю крестом и утешаю себя как могу. Я скучаю без дачи и без Нинон. От меня как будто что-то ушло.

Нинон звонит мне по ночам, поскольку ночью льготный тариф. В Германии ее жадность обострилась. Тем не менее я в курсе ее жизни.

Первым делом Нинон воспользовалась немецкой медициной и проверила свое здоровье. Стадия 2-б — это как мина с часовым механизмом, не знаешь, когда рванет. Но здоровье оказалось в полном порядке. Никакой стадии, никаких отклонений от нормы. Печень чиста, как у ребенка. Кровь, как утренняя роса. Больше не надо выживать. Просто жить и наслаждаться жизнью.

Нинон позвонила мне ночью.

— Я совсем в порядке, — сообщила она. — Представляешь?

Я отметила, что ее русский похож на подстрочник. Значит, она думает по-немецки.

— Я победила, — сказала Нинон, — потому что я боролась.

Я испытала честное, искреннее счастье, но выразить не успела.

— Пока, — попрощалась Нинон и бросила трубку. Экономила.

Я долго не могла заснуть от радостного возбуждения. У меня, как оказалось, прочная подруга, ее хватит на всю мою жизнь и еще останется.

Жизнь — это смертельная болезнь, которая передается половым путем. Мы все умрем когда-нибудь. Но когда? Вот этого лучше не знать. Тогда жизнь кажется вечной.

Убедившись в своей вечности, Нинон отправилась к сыну в Кельн. Их дом стоял неподалеку от знаменитого собора.

Жена сына спросила у сына: «На сколько приехала твоя мама?» Сын не знал и спросил у Нинон: «На сколько ты приехала?» Нинон тоже не знала и сказала:

— Давай на неделю. — Она поняла, что больше недели для них будет много.

— Ну хорошо, — сказал сын.

— Ну хорошо, — вежливо согласилась жена сына.

Нинон поняла, что неделя — тоже много. У немцев есть поговорка: «Гость на второй день плохо пахнет». Сын любил свою маму, но он уже давно жил без нее и отвык. К тому же на Западе разные поколения не живут вместе. Запад — это не Восток.

Нинон сняла маленькую квартирку под крышей в дешевом районе. Там было много русских и турок, что для немцев одно и то же: беженцы, переселенцы, второй сорт. Немцы не любят пришлых. Они налаживали веками свою жизнь и экономику, а другие пришли на готовое и пользуются, занимают рабочие места...

В России Нинон была как волнорез, о который разбивались многие волны. Все текло, двигалось, как живая вода. А здесь — вакуум. Потеря статуса. Нинон никому не нужна за то, что она ТАКАЯ... Никому даже не интересно, какая она.

Нинон решила устроить свою личную жизнь и написала объявление в газету. Там это принято. Дескать, такая-то хочет того-то...

Сразу откликнулись четыре кандидата. Нинон получила письма и фотокарточки.

Один был запечатлен на фоне озера прислоненным к скамейке. И было неясно, сможет ли он удержаться, если скамейку отодвинуть, или рухнет от старости.

Другой — бодрый, но мерзкий.

Третий — примитивный, как овощ на грядке. А чего бы она хотела? Чтобы по объявлению явился Арнольд Шварценеггер?

Четвертый — красивый. Югослав. Тоже беженец, и альфонс скорее всего. Но Нинон на мужчин деньги не тратит. У нее тенденция к наоборот.

Нинон остыла к затее личного счастья. Через службу знакомств счастье не приходит. У него свои дороги.

Нинон заподозрила, что она слишком много хочет: и здоровья, и счастья, и богатства. Она хочет кругом шестнадцать, а так не бывает.

Нинон долго не звонила. Однажды я позвонила ей сама. Спросила:

— Ты в порядке? — Эту фразу я почерпнула из мексиканских сериалов.

— Знаешь, кого я встретила? — глухо спросила Нинон.

Откуда же мне знать...

— Севку, — сказала Нинон.

В один прекрасный день Нинон забрела в универмаг, где шла распродажа. Стала рыться в большой пластмассовой корзине с барахлом и вдруг ощутила, что рядом тоже кто-то роется и толкается. Она подняла глаза и увидела Севку. Тот же самый плюс тридцать лет. Что он здесь делает? В командировке или на постоянном жительстве? И вот дальше — самое поразительное. Нинон НИЧЕГО не почувствовала. Ее душа не сдвинулась ни на один миллиметр. Пустыня. Песок. То, что раньше ворочалось, как тяжелые глыбы, перетерлось до песка. То, что горело, — остыло до серого пепла. Пепел и песок.

Севка рылся в барахле и ничего не видел вокруг. Нинон хотела его окликнуть, но передумала. Ушла.

— У меня ностальгия, — сообщила Нинон.

— По родине? — уточнила я.

— По себе прежней. Мне себя не хватает. Я просто задыхаюсь без себя...

Через неделю Нинон собрала свои вещи, покидала их в два чемодана и вернулась в Россию.

Вернулась, но куда? В ее квартире жил американец, и большие деньги оседали на ее валютном счете. А деньги — это все. Нинон на них молилась.

Решила снять дешевую квартиру и жить на разницу. Нинон сняла крошечную однокомнатную квартиру в круглом доме. Архитекторы придумали новшество: круглый дом, а в середине круглый двор. Как в тюрьме. Все серое, бетонное, безрадостное. Вокруг — нищета, горьковское «дно». По вечерам откуда-то сверху доносятся пьяные вопли и вопли дерущихся. Кажется, что кто-то кого-то убивает. А может, и убивает.

Со мной Нинон не хочет встречаться, потому что стесняется квартиры — крошечной, с помоечной мебелью. И стесняется себя. Всех трех китов — воздержание, нагрузку и закаливание — Нинон отпихнула ногой в сторону. Зачем голодать и накручивать километры, если со здоровьем все в порядке. Нинон предпочитает лежать на диване, есть мучное и сладкое. Она растолстела на двадцать килограмм, перестала красить волосы. Стала седая и толстая — опустившаяся Софи Лорен.

Основное общение — соседка Фрося. У Фроси лицо сиреневое от водки, а во рту — единственный золотой зуб. Фрося — широкая натура, готова отдать все, включая последнюю рюмку. Беспечный человек. Нинон никогда не могла позволить себе такой вот безоглядной щедрости. Она всегда за кого-то отвечала: сначала за Севку, потом за детей. Она даже умереть не могла. А теперь может.

Нинон стала погружаться в депрессию. Она перестала выходить на улицу. Было неприятно видеть серые бетонные стены с черными швами между плитами. Неприятно видеть вертких детей и их родителей — тоже серых, как бетонные плиты.

Однажды я позвонила и сказала:

— Пойдем в церковь.

— Зачем?

— Бог поможет, — объяснила я.

— Бог поможет тому, кто это ждет. А я не жду.

— Тогда давай напьемся.

— А дальше что?

— Протрезвеем.

— Вот именно. Какой смысл напиваться...

Я положила трубку. Вспомнила Высоцкого: «И ни церковь, ни кабак — ничего не свято. Нет, ребята — все не так...» Действительно, все не так.

Пришло семнадцатое августа, и грянул кризис как гром среди ясного неба. Нинон всегда боялась, что ее обворуют. Чего боишься, то и случается. В роли грабителя выступило государство. Лопнул банк вместе с валютным счетом. Денежки сказали: «До свидания, Нинон». Никто не извинился, поскольку государство не бывает виновато перед гражданами. Только граждане виноваты перед государством.

Американец уехал, его фирма вернулась в Америку.

Нинон тоже вернулась в свою квартиру, в свою прежнюю жизнь. Квартира большая, элегантная, в хорошем районе — это тебе не круглый дом. Однако почва выбита из-под ног. На что жить — непонятно. Да и не хочется. В душе что-то треснуло и раздвинулось, как льдина в океане. И обратно не сдвинуть.

Раньше Нинон нравилось ставить задачу и преодолевать. А сейчас все это казалось бессмысленным. Дети выросли, тема неблагодарности снята. Образ Севки развеялся по ветру. Что остается? Ничего. Оказывается, выживание и неотмщенность — это и был ее бензин, которым она заправляла свой мотор. А теперь бензин кончился. Мотор заглох. Можно еще поприсутствовать на празднике жизни, а можно уйти, тихо, по-английски. Ни с кем не прощаясь.

Как-то утром Нинон вышла на балкон, посмотрела вниз. Высоты было достаточно, девятый этаж. Свою жизнь, которую годами восстанавливала, собирала по капле, Нинон готова была кинуть с высоты, выбросить, разбить вдребезги.

Рерих говорил, что физический конец — это начало нового пути, неизмеримо более прекрасного.

Нинон перегнулась, как во время зарядки, но не назад, а вперед. Осталось совсем мало, чтобы сместить центр тяжести...

В это время раздался звонок в дверь. Кто-то шел весьма некстати или, наоборот, — кстати.

Это была я. Обычно я все чувствую и предчувствую, я буквально слышу, как трава растет. Но в данном случае я не чувствовала ничего. Просто у меня появилась суперновость: моя соседка уезжала за границу и попросила последить за ее дачей. Бывать там хотя бы раз в неделю. Дача — классная, в тридцати километрах от Москвы, с собственным куском реки. Река проходит по ее территории и огорожена забором. Эта новость появилась вечером, а рано утром я уже ехала к Нинон. Она стояла передо мной со странным выражением. Я не понимала, рада она мне или нет.

— Есть дача, — сказала я с ходу. — Давай ездить на уик-энды.

Нинон молчала. Возвращалась издалека. С того света на этот.

— Природа сохраняет человека, — добавила я.

— Сколько? — мрачно спросила Нинон. Жадность первой вернулась в нее. Это хорошо. Жадность — инстинкт самосохранения.

— Нисколько, — ответила я. — Бог послал.

щелчок

— Я поехал с мамой в дом отдыха. В это лето
я поступил в институт и мама взяла меня
отдохнуть. А вместе с мамой поехала ее подруга с дочкой. Дочку звали Людка. Людке
было шестнадцать лет, но она вела себя как
ребенок, притом избалованный. У нее было
какое-то запоздалое развитие. В шестнадцать
лет она вела себя как в десять. Мама мне объяснила, что она болела, училась дома, в школу
не ходила, с ровесниками не общалась, ее ба-
ловали. Ее болезнь называлась ревмокардит.
Инфекция жрет сердечный клапан, жуткая
вещь...

— Да... — сказала я. — Знаю.

— Откуда ты знаешь?

— У меня тоже был ревмокардит.

— Ну вот... Наши мамы уезжали на работу,
а нас оставляли одних. Мне говорили: Митя,
следи за Людой.

— Ты и следил, — подсказала я.

— Да нет. Она мне не нравилась. Дура какая-то... Сзади подкрадется и крикнет над
ухом. От неожиданности кишки обрываются.
Или вырвет что-нибудь из рук и удирает: отними, отними... Раздражала ужасно. Просто
дуры кусок.

— А почему кусок, а не целая дура?

— Она, в общем, была очень способная.
Я с ней занимался математикой. На ходу хва-
тала.

— И однажды вы пошли купаться, — напомнила я.

— Ты знаешь? Я тебе рассказывал? — догадался Митя.

Он действительно рассказывал мне эту
историю, но ему хотелось еще раз восстановить в памяти тот день сорокалетней давности. И я великодушно соврала:

— Может, рассказывал, но я забыла.

— Да. Пошли мы купаться. Она разделась,
я на нее, естественно, не глядел. Только обратил внимание, что ее купальник сшит из
простыни. Наши мамы были бедные, денег
не было на готовый купальник. А может,
их тогда у нас не продавали. Пятидесятые
годы, послевоенная разруха. Холодная война.
Импорта не завозят, не то что теперь... Короче, вошла она в воду. Плавает, визжит, ба-
рахтается, как пацанка. А потом вышла — я
обомлел... Белый батист намок, облепил
ее, и Людка вышла голая. Шестнадцать лет...
Груди как фарфоровые чашки, темные соски...
Бедра и талия — как ваза... И темный треугольник впереди. А я до этого никогда не

видел голую женщину. Никогда. Стою как соляной столб. Не могу глаз отвести. Ты меня понимаешь?

— А чего тут непонятного? Конечно, понимаю. А дальше?

— Ну, она что-то сообразила, смутилась. Быстро оделась, натянула юбку. И стала под юбкой снимать мокрые трусы. Они не снимались. Она прыгала на одной ноге. В конце концов сняла. А я не мог отделаться от мысли, что под юбкой она голая и прохладная.

Лифчик снимать не стала, надела кофту. И кофта сразу намокла, впереди круги, величиной с блюдце.

Мы молча пошли в столовую. Она впереди, я сзади. Оба пришибленные, как Адам и Ева, которые откусили от яблока и что-то поняли.

Дмитрий замолчал, как будто нырнул в тот давний летний день.

— А потом... — поторопила я, хотя знала, что потом...

— Приехали родители. Впереди были выходные, конец пятницы, суббота и воскресенье. Мы еле дождались, чтобы настало утро понедельника и они бы укатили на работу.

Вот настало утро понедельника. Потом полдень. Солнце буквально палило. Как в Африке. Мы снова отправились купаться. Она снова разделась. Тот же самый купальник. Все по схеме. Она вошла в воду, вышла из воды... И тут я упал на траву от смеха... У нее в трусах, напротив треугольника, — сложенный вчетверо квадратик носового платка. Это она прикрылась, чтобы не просвечивало... Я валялся по траве и смеялся довольно долго, зажмурив глаза от радостного напряжения. А когда открыл глаза, увидел, что она сидит на земле и плачет. Подняла колени, лицо — в колени, и так горько, как плачут только дети.

Мне стало неудобно за свою жеребячью бестактность, я сел возле нее и стал утешать, гладить по волосам, по плечам. Я говорил слова, вроде того, что она лучше всех и что смеялся я не над ней, а так... Просто хорошее настроение.

Она постепенно перестала плакать, именно постепенно, и в конце концов подняла лицо, посмотрела перед собой каким-то долгим взглядом и проговорила:

— Надо идти, пожалуй...

И поднялась не спеша. Встряхнула головой, освободила волосы. Потом накинула халат и медленно, гибко, как кошка, пошла по тропинке. Я с удивлением смотрел ей в спину. Шла юная женщина, исполненная тайн и предчувствий. Перерождение произошло на моих глазах. Как будто треснула почка и выбился бутон. И я увидел это как в мультипликации. Только что одно, и вдруг — другое...

Митя замолчал, как будто увидел идущую по тропинке шестнадцатилетнюю Людку — таинственную и прохладную...

— А потом? — спросила я.

— А потом она пришла ко мне вечером. Сама. Я бы не посмел. Мне ее доверили, и я бы не решился преступить. Но она пришла сама...

— И чего?

— С тех пор мы не расставались.

Митя задумался. Долго смотрел перед собой.

— А дальше... — подтолкнула я.

— Дальше мы поженились. Я окончил аспирантуру. Открыл рибосому.

Митя замолчал.

— А что это? — поинтересовалась я.

— Синтез белка. Я сначала вычислил его в голове, а потом сделал эксперимент и подтвердил свое открытие экспериментально.

— Так Шлиман открыл свою Трою, — вспомнила я. — Он ее сначала вычислил в мозгах. Додумался. А потом поехал на место и убедился, что она именно там.

— Ну да, — задумчиво согласился Митя. — Я работал Шлиманом.

Я не стала спрашивать, что дальше. Я знала, что Люда умерла. Все это знали. От сердца умирают в одночасье.

— Мы пили чай, я пошел за почтой, — негромко рассказывал Митя. Его голос был слегка механическим. Он просто шел за своими воспоминаниями. Настоящее горе всегда выражается просто, без оперной преувеличенности.

— Я взял газеты, вернулся, а ее нет. То есть она сидит за столом, но ее нет. Я сразу это понял. Мертвый человек — как брошенный дом с заколоченными ставнями. Жизнь ушла, и это ни с чем не перепутать. Только что — одно, и вдруг — другое...

Только что ребенок — щелчок — и женщина. Только что живая — щелчок —

и мертвая. И этому невозможно противостоять. Время идет только в одну сторону.

— В этот год мне присвоили звание ОВУРа, — сказал Митя и расшифровал: — Особо Выдающийся Ученый России. Людка была счастлива.

— Она же умерла... — не поняла я.

— Ну и что? Мы все равно не расстаемся...

Я задумалась: Митя и Люда — по разные стороны времени, а все равно вместе. Половина населения страны, если не три четверти, живут в одно время и даже на одной жилплощади — и все равно врозь. Как я, например.

— ОВУР похоже на ОВИР, — сказала я, чтобы что-нибудь сказать.

— А это что?

— Отдел виз и регистраций.

— Когда-нибудь и я получу свою основную визу и отправлюсь к Людке. И мы снова с ней пойдем купаться. Там ведь есть река.

— Лета, — подтвердила я. — В ней вода теплая, как на Кубе.

— Откуда ты знаешь?

— Я так думаю. И песок белый, как мука.

— А крокодилы там есть? — спросил Митя.

— Есть. Но они никого не жрут. Просто плавают, и все. Люди, львы, крокодилы.

— Хорошо... — отозвался Митя. — И купальников не нужно.

казино

Неделю назад я с блеском выиграла в суде одно запутанное дело. Судилась некая Наиля Баширова с неким Колей Ивановым. Коля — не совсем чтобы Коля, а вполне Николай Петрович — дал взятку власть предержащему чиновнику и отобрал у тоненькой Наили ее пошивочную мастерскую, находящуюся на территории монастыря — памятника старины.

Эта мастерская была приобретена законно. По законам девяносто первого года. Но сейчас считается, что в девяносто первом году, пользуясь стрельбой и суматохой, все всё наворовали, нахватали задарма. Придут новые хозяева, сунут кому следует — и всё перераспределят без крови и без гражданской войны. И все довольны: и Коля, и тот, власть предержащий, — такой аккуратный типчик и торчит иногда в телевизоре с душеспасительными речами. Я заметила: носители нравственности, как правило, порочные типы. Как Фрейд, например.

Закон есть закон и обратной силы не имеет. Сначала дали, потом отняли — это не пройдет. Обратную силу может иметь только смертный приговор: сначала приговорили, потом подали апелляцию и помиловали.

В случае с Наилей мне все было ясно. А то, что пошивочная мастерская находилась на территории монастыря, — очень хорошо. Монахини ведь тоже шили. У них была пошивочная, и трапезная, и прачечная. Все логично. Продолжение традиций.

Коля звонил и туманно намекал: то ли на взятку, то ли на большие неприятности. Но я знала, что и он, и те, кто за ним, не захотят со мной связываться. Я ведь могу и во «Времечко» позвонить, и мировую общественность задействовать. Дело не в моей суперпринципиальности. Просто, когда я завожусь, я иду до конца. Для меня принцип становится важнее жизни. Как у бандитов.

На суде я испытывала давление со стороны судьи, но мое сопротивление было прочным: как молотом по наковальне. Чем сильнее ударишь, тем дальше отскочит.

Помещение осталось за Наилей. Наиля светилась глазами, вскидывала тонкие ручки, лепетала: «Я даже не знаю, как вас благодарить...» С тех пор как существуют деньги, а существуют они двадцать веков, этой проблемы — как благодарить — не существует. Но в случае с Наилей принцип был важнее денег. Я не взяла бы их ни при каких обстоятельствах. Иначе я плюнула бы себе в душу, что неудобно физически.

Где располагается душа? Под горлом, в ямке? Или в районе солнечного сплетения, под ложечкой? Плевать самой неудобно и даже невозможно.

Наиля почувствовала меня и сшила мне сумасшедший пиджак: сочетание шелка, холста и замши. Это называется: в огороде бузина — в Киеве дядька. Казалось бы, несовместимые вещи: где огород, а где Киев? Но еще хуже, когда в огороде бузина — и в Киеве бузина. Именно так — скучно и одномерно — выглядели пиджаки из западных универмагов, даже самых дорогих.

Наиля взрывала привычное представление. В ее творчестве было вдохновение, и оно ощущалось материально.

Я надела пиджак и поняла, что это — моя вещь. В ней можно и в пир, и в мир, тем более что сейчас все перепуталось.

Я забыла сказать: Наиля работала в модельном бизнесе. Создала свою коллекцию, как Коко Шанель. Несколько девчонок-сподвижниц за копейки шили, вылизывали каждую модель, каждый шов. Что посеешь, то пожнешь. Наилю номинировали на светскую львицу. Модный журнал провел опрос, получил ответ: Наиля Баширова.

Номинация должна происходить в большом казино. Казино в целях рекламы сдавало свое помещение под престижные акции.

Наиля пожелала, чтобы я была свидетелем ее триумфа, и пригласила меня на номинацию.

Я согласилась. Как говорят в Одессе: а почему нет? Записала день и час и адрес казино. Это был вторник, двадцать часов вечера.

Я никогда не была в казино и никогда не была на номинации. Мне было интересно. Но... Вмешалось печальное обстоятельство. Мне позвонили и сообщили, что во вторник я должна быть на похоронах тогда-то и там-то... Я записала адрес морга. О том, кто умер и почему, я рассказывать не стану, это совершенно другая история. Как говорила одна старушка: дело житейское. Значит, смерть входит в жизнь как составляющая.

Настал вторник. Я надела мун-буты, обувь для лыж. Мне предстояло простоять несколько часов на кладбище, и я боялась простудиться. После похорон обычно бывают поминки. Я надела пиджак Наили. Он был из натуральных тканей, я в нем не уставала.

На кладбище я вспомнила, что надо позвонить Наиле и предупредить о своем отсутствии. Я поотстала, достала мобильный телефон и набрала знакомый номер.

— А когда начало? — спросила Наиля.

— Чего? — не поняла я.

— Когда начнутся похороны?

— Они уже идут.

— Ну, так вы успеете, — простодушно отозвалась Наиля. — Сейчас только два часа.

— Неудобно... — сказала я.

Действительно, как можно совмещать в одном дне такие несовместимые вещи, как похороны и праздник?

— Ну почему? — мило удивилась Наиля.

Она считала, что совмещать можно все и со всем. В этом принцип ее мышления: шелк с холстом и замшей и с куском голого тела.

После кладбища все отправились на поминки.

Квартира была в доме, который назывался «лужковка». Это лучше, чем «хрущевка», больше места. Но все равно — бетон, бетон, тоска…

Я прикинула на глаз: количество гостей вдвое превышает количество посадочных мест. Ввалился полный автобус голодных людей. Как их будут кормить? В две смены?

Чем я могла помочь? Только тем, что уйти.

Я выбрала момент и тихо смылась.

Наиля стояла возле казино и ждала. Она была похожа на фотомодель Наоми Кэмпбелл, только светлокожая и меньше ростом. Так что, в сущности, от Наоми, чернокожей звезды, ничего не осталось. И тем не менее — то же плоское молодое личико и выпуклые губы, как будто вылепленные отдельно.

Раньше, в моей молодости — не такой уж далекой, но все-таки ушедшей, — так вот, раньше ко мне прибивало людей как волной. Что притягивало? Бешеная энергия и такое же бешеное любопытство. Сейчас притягивает моя профессия. Точнее — профессионализм. Я — судья высшей категории. Как швейцарский сыр.

Мы разделись в гардеробе. На мне был легкий пиджак Наили и грубые мун-буты. На мою обувь никто не обратил внимания, кроме гардеробщика. Гардеробщик, молодой парень, кинул глаза вниз и чуть приподнял брови. Его не устраивал снег, который набился в рифленую подошву и теперь останется на ковре. Все остальные просто не заметили. А если и заметили, то решили, что это новая фенька: грубая обувь и изящный верх.

Мы поднялись по лестнице в зал. Он уже наполнился и гудел, как настраиваемый оркестр. Приглашенные сидели за своими столиками и активно пировали, не дожидаясь официального открытия. Люди, как собаки, больше всего любят поесть. Точнее, выпить и закусить. Собакам алкоголь не нужен. Им и так хорошо. Даже бездомным.

Наиля протащила меня к нашему столику возле сцены. Все видно и слышно.

Ведущая начала церемонию. Прическа у нее была, как у ежа. Волосы смочены гелем и торчат во все стороны. Голос мяукающий на одной ноте. Если бы у нее был нормальный голос и нормальная прическа — было бы скучно. Никак.

Зал наполнился стрельбой вылетаемых пробок. На тарелках лежала суперъеда. Я не ела с утра, и мой аппетит не просто проснулся, а вскочил и радостно завопил. Я стала вдохновенно пить и есть, при этом успевая следить за сценой.

Меня никто не знал, и я никого не знала, и это сообщало полную свободу. Сиди в мунбутах, ешь сколько хочешь, а когда надоест — можешь встать и уйти. По-английски.

На сцену тем временем вышел номинированный модельер с кукольным девичьим личиком, в странном костюме. Вместо брюк — длинная юбка с косым разрезом.

— Он голубой? — тихо спросила я.

— В нашем бизнесе почти все голубые, — ответила Наиля.

— Почему?

— Они острее чувствуют природу прекрасного.

Я огляделась по сторонам. Немыслимой красоты люди фланировали по залу. Казалось, что они вобрали в себя красоту обоих полов.

Природа — лаборатория. Она вывела человека — гомо сапиенс, но не значит — раз и навсегда. Нет. Она варьирует. Пробует так и по-другому, совершенствует. Иногда опыт получается, иногда — нет. Интересно.

Следующая номинантка — деловая женщина, владеющая конным бизнесом. Я ждала, что сейчас выйдет мощная быкообразная баба, но на сцену выпорхнула фарфоровая статуэтка с японским личиком, с откровенно еврейской фамилией. У нее был тот уровень красоты и богатства, когда можно ВСЕ. Очень может быть, что фамилия принадлежала мужу, но она носила ее как корону. Ее энергии и ума хватало на то, чтобы держать в железном кулачке взвод конюхов и коней, крутить рулетку жизни, ворочать миллионами. Бывает же такое.

Ей вручили фарфорового льва с золотой гривой. Приз назывался «Светская львица».

Следующий приз предназначался лучшему банкиру года.

В середине зала за столиком сидели молодые банкиры — одинаково стриженные и одинаково одетые. Как братки. Как будто все они стриглись в одной парикмахерской. А может, так оно и есть.

Вышел молодой, коренастый, без юмора. Я заметила, что деловые редко улыбаются. Они наверняка владеют юмором, но им некогда его применять. Плотная занятость. Не до смеха.

Экономические таланты — я имею в виду способность найти под ногами деньги, а потом заставить их работать — стали расцветать в нашей стране последние пятнадцать лет. Во время советской власти этот талант не был востребован и атрофировался за ненадобностью. В банковском бизнесе тоже есть свои Феллини и Моцарты, просто их никто не знает. После Феллини остаются образы, после Моцарта — звуки, которые служат ВСЕМ. А после денег остаются деньги, которые служат ограниченному числу людей. А может, я ошибаюсь. Юрист тоже имеет право на ошибку.

Молча, мрачно банкир взял статуэтку и вернулся на свое место. Не поблагодарил и ничего не сказал. Такое впечатление, что ничего не почувствовал.

Скорее всего чувствовал, но стеснялся. Его бесстрастность — от зажатости. Богатые тоже плачут и тоже стесняются.

Зато певица с голой спиной и вся в перьях благодарила долго и подробно: родителей, учителей, устроителей, как на вручении американского «Оскара». Именно так она себя и ощущала: светская львица большой державы.

Номинация — игра. Но певица не играла. Она все воспринимала всерьез, включая свои перья.

Глупость не есть отсутствие ума. Это другой ум. Однако зал был настроен доброжелательно и прощал ей другой ум, и даже поощрял аплодисментами.

В углу сидела актриса, которую все помнили со своих школьных лет. Стройная. Ни одной морщины. Морщин нет, но и молодости нет. И старости нет. Человек — над временем. Макропулос.

Нетрудно догадаться, что с возрастом морщины образуются не только на лице человека, но и внутри. Душа в шрамах. Сердце в рубцах. Суставы ржавеют.

Косметическая хирургия может ликвидировать морщины на лице, но внутри... Они остаются и проступают через глаза. В глазах усталость и равнодушие. Ну пришла. Ну села. И чего?

Схватку со временем выиграть невозможно. Это как птица в небе попытается сразиться с самолетом. Силы не равны. Он ее сшибет и не заметит. Но мужественная актриса сидит в углу зала — прямая, гордая, без единой морщины, и барабанит пальцами по столу.

Бедные люди. Как стремительно утекает время. Как мало отпущено женщине для цветения. Двадцать лет? Это же копейки.

Хорошо бы жить свой срок в одной 25-летней форме. Дожил до 25 лет и остановился. И дальше, до конца, — юная, сверкающая, вызывающая любовь.

Так нет же… Природа тебя унизит, состарит, потом убьет. Но сначала изуродует, как бог черепаху, и тянешь черепахой последние двадцать лет в отсутствие любви и смерти.

Актрису приглашают на сцену. Она поднимается и идет. И зал тоже поднимается, все встают и хлопают — не вразнобой, а дружно и сильно. Овация.

Ее любят. Ее боготворят — любую, какая бы ни была. Хоть в инвалидной коляске. За что? За настоящий талант и настоящую отдачу. Она отдает себя людям — всю, без остатка, и сражение с самолетом — тоже для людей. Себя она узнала бы любой. Но на нее смотрят — и она должна соответствовать. Лицо — рабочий инструмент. А он должен быть в порядке.

Актриса идет в такт овации — молодая, победная, вечная. Овация — это ее оценка за контрольную. А контрольная — сама жизнь.

Я тоже хлопаю. И преклоняюсь. Актриса — больше чем человек. Человек плюс что-то еще…

У всего зала особые лица. Они тоже чувствуют «что-то еще»…

Актрисе вручают львицу с золотой гривой. Она делает легкий книксен. Участвует в игре. Играет саму себя. Она понимает, что все это пустяк. Но ничто не украшает жизнь так, как пустяки.

Моя Наоми не получила ничего. Но зато она вручила приз лучшему политику года. А вручать — тоже честь. Дело не только в том — кому, но и КТО вручает.

Наоми поднялась на сцену. Объявила политика.

Политик вышел на сцену и сообщил, что сегодня день рождения композитора Исаака Дунаевского, а точнее — сто лет со дня рождения, и он хочет спеть песню этого гениального композитора.

Политик умел петь. И не просто умел, а делал это лучше всех в стране. Но видимо, вмешался социальный темперамент. Ему стало тесно в одной профессии, захотелось вершить судьбы многих. Захотелось стать немножко богом.

В углу сцены стоял рояль. К роялю подсел личный аккомпаниатор певца. Сыграл вступление.

Пока аккомпаниатор играл вступление — спокойно и технично, будто его пальцы двигались без его ведома, — на сцену вылез еще один политик. Аккомпаниатор дал дыхание, и оба запели. Образовался дуэт, весьма неравноценный. Как если бы к соловью пристроилась утка-кряква. Основного певца это не смутило. Он положил свою царственную руку на плече коллеги и пел в полный голос, редчайшего, благородного тембра. Пристроившийся политик вякал невпопад и одной рукой подтягивал штаны, отчего его плечо поднималось.

Зал покровительственно хохотал. Я подумала, что этот безголосый, мощный и опасный, как кабан, тоже когда-то был маленький и его любила мама. Детскость проступала сквозь клыки.

Песня кончилась. Кабан соскочил со сцены, вернулся на место. А певец остался и стал петь еще. Не мог остановиться.

Зал подпевал — тоже не мог не петь, так знакомы, прекрасны и утоляющи были мелодии — в ритме марша, потом в ритме вальса.

Над залом кружились музыка, молодость, богатство, власть — все это сплеталось в тугую розу ветров. Я слышала ее дуновение на своем лице. Вот она — жизнь. Ее эпицентр.

Вспомнила лицо усопшей. Мне стало неловко перед ней: где она и где я? Но ей, должно быть, все равно. Оттуда, где она сейчас, совершенно не важно все, что здесь. Да и есть ли это «оттуда»... Лучше не знать.

Придет время — покажут. И все окажется просто, так просто, что мы удивимся и захотим рассказать оставшимся. А уже не рассказать...

Наоми лучилась глазами и зубами, ее молодой лоб блестел, как мытая тарелка. Ее жизнь стояла на программе цветения.

Певица в перьях кокетничала с кабаном. Она любила силу и власть, а он любил певиц в перьях.

Актриса Макропулос пела вместе со всеми. Песня стерла грани между номинантами и зеваками, между молодыми и старыми. Все объединились, как в храме.

Банкиры пили под музыку. Они не пели, но музыка звучала у них внутри.

Голубые юноши внимали звукам, глядя в пространство. Они особенно остро чувствовали природу прекрасного и боялись помешать или спугнуть.

Жизнь, как большая круглая пластинка, поставленная на патефонный диск, — кружится, убывая с каждым витком. Но пока она кружится и звучит — кажется бесконечной. А может, и бесконечна. Если бы знать...

содержание

Литературно-художественное издание

токарева
виктория самойловна
этот лучший из миров

Редактор Д. Гурьянов
Художественный редактор Н. Данильченко
Технический редактор Л. Синицына
Корректоры К. Каревская, Т. Филиппова
Компьютерная верстка Т. Коровенковой

В оформлении обложки использовано фото
© hxdbzxy/shutterstock.com
Фото на задней стороне обложки © В. Плотников

ООО «Издательская Группа «Азбука-Аттикус» —
обладатель товарного знака «Азбука»
119334, Москва, 5-й Донской проезд, д. 15, стр. 4
Тел. (495) 933-76-01, факс (495) 933-76-19
E-mail: sales@atticus-group.ru; info@azbooka-m.ru

Филиал ООО «Издательская Группа «Азбука-Аттикус»
в г. Санкт-Петербурге
191123, Санкт-Петербург, Воскресенская набережная, д. 12, лит. А
Тел. (812) 327-04-55
E-mail: trade@azbooka.spb.ru; atticus@azbooka.spb.ru

ЧП «Издательство «Махаон-Украина»
04073, Киев, Московский проспект, д. 6, 2-й этаж
Тел./факс (044) 490-99-01
e-mail: sale@machaon.kiev.ua

www.azbooka.ru; www.atticus-group.ru

Подписано в печать 01.02.2016.
Формат 84×108 1/32. Бумага офсетная.
Гарнитура «Original Garamond».
Печать офсетная. Усл. печ. л. 13,44.
Тираж 5000 экз. B-TIG-16023-01-R. Заказ № 6540/16.

Отпечатано в соответствии с предоставленными материалами
в ООО «ИПК Парето-Принт». 170546, Тверская область,
Промышленная зона Боровлево-1, комплекс № 3А
www.pareto-print.ru